인권이 없는 직장

BOOK
JOURNALISM

인권이 없는 직장

발행일 ; 제1판 제1쇄 2018년 6월 26일
지은이 ; 류문호·안성호·류도향 발행인·편집인 ; 이연대
주간 ; 김하나 편집 ; 서재준
제작 ; 허설 지원 ; 유지혜 고문 ; 손현우
펴낸곳 ; ㈜스리체어스 _ 서울시 종로구 사직로 67 2층
전화 ; 02 396 6266 팩스 ; 070 8627 6266
이메일 ; contact@threechairs.kr
홈페이지 ; www.bookjournalism.com
출판등록 ; 2014년 6월 25일 제300 2014 81호
ISBN ; 979 11 86984 38 3 03300

책값은 뒤표지에 표시되어 있습니다.

BOOK
JOURNALISM

인권이 없는 직장

류문호·안성호·류도향

스리체어스

; 근로계약서상 갑을 관계는 계약 주체의 명칭에 그치지 않고 우열 관계를 형성한다. 갑을노동은 근로계약에 규정된 노동이나 사업 유지에 필요한 관리·감독을 넘어, 근로자의 건강, 정서와 감정, 양심과 사상까지 지배·종속해, 근로자의 인권 침해로 이어지는 노동을 뜻한다. 갑을노동의 문제는 노동이나 법, 시스템의 문제가 아니라 힘든 직장인들의 삶 그 자체에 대한 이야기다.

차례

9 **1 _ 갑을노동의 사회**

한국 노동의 슬픈 현실

힘든 일터와 삶에 대한 이야기

17 **2 _ 내가 아니라 회사가 문제입니다 ; 직장 내 괴롭힘**

괴롭힘이라는 회색 지대

CASE ; 괴롭힘인가, 정당한 명령인가

외국에서는 어떻게 규율하고 있을까

37 **3 _ 은밀하고 교묘한 학대 ; 직장 내 무례함**

회사가 아니라 상사가 싫다

가치관의 차이, 직장의 갈등

CASE ; 악덕 상사의 항변은 정당할까?

49 4 _ **권력의 문제 ; 직장 내 성희롱**
피해자가 아니라 일반인이 기준이다
권력형 성희롱의 급증
CASE ; 성희롱은 가해자만의 문제일까?
가해자를 넘어 기업의 책임

65 5 _ **비공식 고용의 폐해 ; 열정 페이**
근로자는 누구인가
근로자인가, 연수생인가
CASE ; 연수와 자원봉사
CASE ; '알바 꺾기'를 하는 나쁜 사장님

79 6 _ **손님은 정말 왕일까 ; 진상 고객**
진상은 범죄다
진상 고객 대응법
CASE ; 먹어도 힘이 나지 않는 홍삼

91 7 _ **담배 피우면 잘립니다 ; 강제 금연 정책**
CASE ; 강제로 작성한 금연 서약서
금연 정책과 근로자의 인권

105 8 _ **네가 한 일을 알고 있다 ; 노동 감시**
노동 감시의 문제점
관리가 아니라 감시다

113 9 _ **직장 스트레스와 자살 ; 심리적 부검**
왜 죽었는가

CASE ; 뒤집힌 판결, 사회적 타살

123 **10 _ 근로자의 인권을 위한 노동법**
노동법에 '인권'이라는 단어가 없다?

131 **에필로그 ; 노동의 정상과 화해를 희망하며**

135 **주**

141 **북저널리즘 인사이드 ; 올바른 노동**

1 갑을노동의 사회

한국 노동의 슬픈 현실

계약은 자유롭고 평등한 개인들 사이에 맺어진 법적 구속력이 있는 약속이다. 근로계약도 계약의 한 유형으로 사용자와 근로자가 서로 대등한 주체로 참여할 때 정당성이 확보될 수 있다. 그러나 한국 사회에서 사용자와 근로자의 근로계약(관계)은 '갑을 관계'라는 불평등한 구조로 인식된다. 노동이 개인의 자아실현을 위한 것이라는 주장은 현실과 유리된 선언적 위로에 가깝다. 이윤 추구와 경쟁의 원리로 인해 근로자는 사용자의 목표를 달성하기 위한 도구로 전락한 것이 한국 사회의 슬픈 현실이다.

2014년에 이어 2018년 4월, 항공사 오너 일가의 '갑질 경영' 문제가 다시 불거져 사회적 이슈가 됐다. 기업의 갑질 사례는 이뿐만이 아니다. 갑질과 관련된 다양한 기업의 사례들을 보면 과연 근로자들이 인권을 보장받으며 행복하게 일할 수 있는 회사가 실제로 있을까라는 의문마저 든다.

이 책에서는 현재 한국 노동의 슬픈 현실을 '갑을노동'으로 규정하고자 한다. 갑을노동은 ① 근로계약에 규정된 노동, 사업 조직의 질서 유지에 필요한 지배·종속을 넘어, ② 근로자의 건강, 정서와 감정, 양심과 사상으로까지 관리·감독 및 지배·종속의 대상이 불합리하게 확장돼, ③ 종국에는 근로자의 인권 침해로 이어지는 노동이라고 정의할 수 있다.

갑을노동은 실제 노동 현실에서 세 가지 특징을 보인다. 첫 번째는 '절대적 갑을노동'이다. 법이나 계약 등 사회의 제반 형식에 의해 정해진 항구적 갑을 관계를 말한다. 대부분의 회사에서 근로계약서에 사용자를 갑, 근로자를 을이라고 쓴다. 근로계약에서 갑을 관계는 계약 주체의 명칭에 국한되는 것이 아니라 자본과 노동 사이의 수직적 구조를 반영하고 있다. 갑을 높은 지위, 을을 낮은 지위에 있는 사람으로 구분하면서 은연중에 우열 관계를 정하고 있다. 절대적 갑을노동은 불평등한 사회 구조를 고착시키는 요인으로 작용한다.

두 번째는 '상대적 갑을노동'이다. 인간관계가 그물처럼 엮여 있는 현대 사회에서 갑과 을의 위치는 절대적이지 않으며 위치가 바뀌는 순간 갑을 관계는 전복된다. 나는 누군가에게 갑이지만 동시에 다른 누군가의 을이다. 갑질은 돈과 권력을 가진 이들의 전유물로 생각하기 쉽지만 사실 누구나 상황에 따라 비슷하게 행동할 수 있다. 편의점 사장에게 갑질을 당하던 아르바이트 직원이 일을 그만두자마자 편의점 사장에게 갑질을 하는 진상 고객으로 변하는 모습을 연출한 어느 코미디 프로그램은 상대적 갑을노동의 단면을 잘 보여 준다.

세 번째는 '은폐적 갑을노동'이다. 이는 오랫동안 당연시해 온 문화와 개개인이 체화한 습관을 통해 무의식적, 비의도적으로 표출되기 때문에 갑질로 인식되지 않는 경우를 말한다. 가해자는 갑질을 업무에 필요한 과정이라고 여기고, 피해자는 그것의 불합리함을 정확하게 인식하지 못하는 것이 현재의 노동 현실이다. 한국의 직장에 배어 있는 특유의 군대 문화는 훌륭한 직장인을 키워 내는 관행으로 치부되곤 한다. 이는 갑질에 해당하는 전형적인 행위를 정당한 것으로 합리화시키고 은폐한다. 당하는 입장에 놓인 사람은 조직에 적응해야 한다는 심리적 압박 속에서 그 상황을 체념하고 고통을 감내하며 살아가야 한다.

힘든 일터와 삶에 대한 이야기

근로자가 자신의 노동력을 유지·보존하기 위해서는 일정 수준 이상의 신체적 안전, 정서적 안정, 자존감 등을 보호받아야 한다. 그러나 갑을노동은 갑이 을에 비해 절대적 우위에 있는 불합리한 계약을 넘어 근로자의 인권 자체를 훼손하는 수준에 이르렀다. 객관적으로 확인이 불가능한 근로자들의 신체적 피로 및 정신적 스트레스 또한 언제 어떻게 터질지 모르는 사회적 불안 요소다. 번아웃 증후군burnout syndrome[1], 우울증, 조울증, 분노 조절 장애, 경계성 성격 장애 등 심리적 질병으로 인해 정상적 사회생활을 지속할 수 없는 경우도 많다. 내적 파산[2]에 이른 근로자가 자살이라는 극단적 선택을 하는 사례도 늘어나고 있다.

사용자와 근로자 간의 종속 관계는 늘 있었다. 그러나 최근의 갑을노동은 인간에 대한 최소한의 존중, 예의, 부끄러움마저 망각한 형태로 나타난다는 점에서 과거와는 양상이 다르다. 전통 사회나 산업화 시대까지만 하더라도 을에 대한 갑의 횡포가 극단으로 치닫는 것을 막아 주는 여러 가지 이념적 장치들이 존재했다. 유교적 관점에서 말하는 인정과 예절 등의 이상적 규범을 예로 들 수 있다. 유교적 관점은 을에 대한 갑의 우위를 정당화하는 이데올로기로 기능하기도 했지만 한편으론 을에 대한 갑의 미덕을 지키는 역할을 해온 것 역시 사실이다. 하지만 오늘날의 갑을노동은 전통적 이념과 공동체적 가치를 모두 잊고 물질 만능주의나 성과 우선주의의 논리로 무장했다. 갑에게 을은 최소한의 동정심을 유발하는 노예도 아닌 존재, 즉 돈을 내고 교환할 수 있는 물건이나 성과를 내기 위한 수단으로 인식된다.

최근에 발생한 갑을 관계의 양상은 권위주의 이데올로기만으로는 설명할 수 없다. 갑을 관계가 자리 잡게 된 결정적 계기는 1997년의 IMF(국제통화기금) 금융 위기였다. IMF 위기 때 우리 사회는 급격한 전방위적 구조 변동을 겪었다. IMF는 자본 자유화와 외자 유치, 금융 및 기업의 구조 조정, 공공부문 민영화, 시장 및 기업 자유의 확대, 노동 시장 유연화 등 신자유주의 흐름에 부합하는 개혁을 요구했다.

신자유주의는 화폐로 연결된 관계를 삶의 중심에 놓고 부의 최대화를 사회적 선으로 추구한다. IMF 경제 위기 당시 전 국민이 '나라가 망하면 나도 망한다'는 공감대 속에서 돈벌이가 안 되는 것을 과감히 정리하는 구조 조정에 동참해야 했다. 대량 실업이 발생했고 비정규직 비율이 높아졌으며 실질 임금은 하락했다. 이 과정에서 변한 것은 사회 구조만이 아니었다. 우리 내면의 의식 또한 부지불식간에 해체되고 변형될 수밖에 없었다.

사용자와 근로자의 비대칭 관계가 당연시되는 자본주의 사회에서 어디까지가 근로자의 인격 침해에 해당하는지를 정하는 것은 쉽지 않다. 현대 사회에서는 노동의 영역과 노동 외의 영역이 복합적으로 연결돼 있기 때문에 더욱 그렇다.

노동법은 기본적으로 먹고사는 문제를 해결하기 위해 제정됐다. 그러나 현대 노동 시장에서 근로자들의 고민은 단순히 먹고사는 문제가 아닌 삶의 질을 추구하는 방향으로 바뀌고 있다. 행복하고 즐겁게 사는 것은 물질이나 경제적 관점으로 접근한다고 모두 해결되지 않기 때문이다. 갑을노동은 이 시대를 살아가는 모두가 당면한 문제라는 관점으로 접근해야 한다. 갑을노동의 문제는 단순히 노동이나 법, 시스템의 문제가 아니라 이 시대를 살아가는 힘든 직장인들의 삶 그 자체에 대한 이야기다.

2 내가 아니라 회사가 문제입니다 ; 직장 내 괴롭힘

근로자에게 직장은 일을 하며 보람을 느끼고 그에 따른 금전적 보상을 받는 곳이기 전에 일상의 대부분을 보내는 삶의 터전이다. 업무 관계뿐만 아니라 동료와의 인간관계에서 여러 가지 문제를 겪을 수밖에 없다.

과거에는 직장 생활의 난관을 극복하며 성공하는 샐러리맨의 모습을 미덕으로 여겼다. 어렵고 고단한 직장 생활을 참고 견뎌 내면 양질의 삶과 미래가 보장된다는 것이 우리 사회가 근로자에게 던진 희망의 메시지였다. 그러나 지금의 현실은 다르다. 2017년 국가인권위원회가 발표한 〈직장 내 괴롭힘 실태 조사〉 보고서에 따르면 직장인 4명 중 3명이 최근 1년간 직장에서 존엄성을 침해받거나 적대적·위협적·모욕적 괴롭힘을 한 차례 이상 겪었다. 3명 중 2명은 직장 내 괴롭힘 때문에 이직을 고민한 적이 있고, 최근 1년 안에 직장을 그만둔 경험이 있는 직장인 중 절반 가까이가 직장 내 괴롭힘 때문에 사직한 것으로 나타났다.

직장 내 스트레스는 정신적 고통을 넘어 뇌심혈관계 질환, 근골격계 질환, 만성 통증, 만성 피로 증후군, 두통, 당뇨병 등 다양한 신체적 질병의 원인이 된다. 지속적인 스트레스는 돌연사나 과로사를 일으키기도 하고, 자해, 자살, 직장 동료에 대한 가해(보복) 등의 문제로 연결될 수 있다.

괴롭힘이라는 회색 지대

직장 내 스트레스 문제를 직장 내 괴롭힘이라는 개념으로 접근해 볼 필요가 있다. 감정 노동이나 갑의 횡포 역시 여기에 포함된다. 최근 직장 내 괴롭힘에 대한 사회적 관심이 크게 증가하고 있지만 아직 관련 정책은 미비하다. 세 가지 이유가 있다.

첫째, 스트레스를 받는 수용자의 입장 및 상황의 차이가 제대로 고려되지 않기 때문이다. 동일한 근무 환경에서도 심하게 스트레스를 받는 사람이 있고 스트레스를 받지 않거나 상대적으로 쉽게 극복하는 사람이 있다. 한국에서는 스트레스를 주는 회사의 문제보다 스트레스를 받는 개별 근로자의 태도나 자세에서 문제점을 찾는 경향이 강하다. 직장에서 스트레스를 발생시키는 원인 또는 주체를 적극적으로 밝히고 통제할 당위성을 확보하기 어려운 이유다.

둘째, 직장 내 괴롭힘과 근로자의 정신 건강 침해의 인과 관계를 명백하게 밝혀내는 일은 이론적으로나 실무적으로 상당히 어렵다. 물론 과로 및 직무 스트레스로 인한 우울증이나 자살 등이 업무상 재해로 인정된 사례도 있다. 그러나 이는 실력 있는 변호사나 노동 문제를 진정성 있게 고민하는 판사를 만나야만 가능한 일이다. 과로, 직무 스트레스와 업무상 재해의 인과 관계는 반드시 의학이나 과학으로 명백히 규명되지 않아도 된다는 것이 대법원 판례의 법리인데도 대부분의 재판은 여전히 의학적 감정 결과에 의존해 판단을 내리고 있다.

셋째, 근로자 건강에 대한 예방 및 보상은 주로 업무 수행 과정에서 발생하는 근로자의 사망 또는 신체적 상해를 대상으로 한다. 근로자의 신체에 대한 침해가 발생했을 경우에만 그 원인이 되는 정신 건강 문제를 함께 고려한다. 정신 건강 침해 자체에 대한 문제는 법이 규율할 수 있는 독립적 대상으로 자리 잡지 못하고 있다.

우리나라에서는 직장 내 괴롭힘으로 인한 스트레스를 업무 수행 과정에서 당연히 감내해야 하는 것 또는 상급자의 지휘·명령management 과정에서 발생할 수밖에 없는 불가피한 것으로 인식하곤 한다. 근로자에게 괴로움을 줄 수 있는 상급자의 언행이 정당한 지휘·명령권의 행사라는 명목으로 합리화되는 경우가 더 많다. 직장 내 괴롭힘을 집단적 관계에서 발생하는 따돌림이라는 지엽적 문제로 치부해 버리기도 한다.

직장 내 괴롭힘은 개별적이고 다양한 형태로 존재한다. 상급자가 자신의 선호에 따라 하급자에게 과도·과소한 업무를 주는 행위, 업무 수행 과정에서 과도한 폭언이나 욕설을 하는 행위, 성별·연령 등을 이유로 차별하는 행위 등 직장 내 괴롭힘이라는 개념에 포함될 수 있는 형태는 광범위하다. 그럼에도 직장 내 괴롭힘은 명확한 법 개념이나 규율 근거가 없어 실체법적으로 다루기 어려운 '그레이 존gray zone'의 영역에 있다.

국립국어원의 표준 국어 대사전은 '괴롭힘'을 '괴롭다'의 사동사형使動詞形으로 "몸이나 마음을 편하지 않고 고통스럽게 하다"로 정의한다. 유사 개념으로는 음해, 따돌림, 구박 등이 있다.

그런데 이 같은 사전적 정의를 실제 업무 과정의 괴롭힘에 그대로 적용하기는 어렵다. 2013년 취업 포털 사이트 잡코리아에서 남녀 직장인 1662명을 대상으로 '기피하고 싶은 직장 동료의 유형'을 조사했는데, 73.5퍼센트인 1222명이 피하고 싶은 직장 동료로 상사를 꼽았다. 싫어하는 상사의 유형은 '작은 실수에도 죽일 듯이 달려드는 꼼꼼한 사람(매니저형)', '목표를 위해 앞만 보며 달리는 경주마 같은 사람(워커홀릭형)', '끊임없이 변화를 시도하는 독불장군 같은 사람(혁명가형)', '업무는 물론 책임도 떠넘기는 사람(떠넘기기형)' 등으로 분류됐다.

사실 설문 조사에서 분류된 상사의 유형은 업무 수행 과정에서 누구나 한 번쯤은 만나 봤을 유형이다. 많은 기업이 건강하고 행복한 직장 문화를 만들기 위해 노력하지만 정당한 지휘·명령과 직장 내 괴롭힘을 구분하는 기준을 세우는 것에는 혼란을 겪고 있다.

〈남녀 고용 평등과 일·가정 양립 지원에 관한 법률〉과 〈장애인 차별 금지 및 권리 구제 등에 관한 법률〉 등 일부 법률은 괴롭힘을 제한적으로 규정하고 있다. 하지만 전자는 직장 내 성희롱에 국한해 적용되는 규정이며, 후자는 장애인에 국한되고 그 위반에 대한 형사적 책임이나 별도의 구제 수단을 두지 않고 있다. 폭행과 같은 특정한 유형이 수반된 괴롭힘은 형법상 폭행죄나 민법상 불법 행위 책임 등으로 규율할 수 있는 가능성은 있다. 그러나 직장 내 괴롭힘은 주로 정신적 침해 행위로 발생한다는 점에서 입증과 규율에 실질적 한계가 존재할 수밖에 없다.

근로자의 인격 및 자유를 침해했다는 이유로 직장 내 괴롭힘을 인정한 판결이 있다.[3] 법원은 남자 상사가 여직원들에게 회식 자리에서 음주를 강요하고 성희롱을 한 사건에 대해 유죄를 인정했다. 법원은 판결문에 "기혼인 남자 상사가 직원단합을 도모한다는 명목으로 술자리를 자주 만들어 그 술자리에서 체질상, 건강상의 이유로 술을 거의 못 마시는 여직원에게 음주를 강요하고, 술자리를 새벽까지 이어 가며 일찍 귀가도 못 하게 하고, 술자리나 사무실 등지에서 수시로 여직원에게 성희롱에 해당하는 성적 언동을 한 사건에 대해, 위와 같은 직장 상사의 행동이 자기의 의사와 행위를 자율적으로 결정하는 인격적 자율성을 침해하는 행위로서 상대방의 인간으로서의 존엄성을 훼손하는 행위가 될 뿐만 아니라 이로 인해 상대방이 심한 정신적 고통을 느꼈다면 불법 행위를 구성한다"고 판시했다. 이는 직장 내 괴롭힘을 법적으로 인정했다는 의미는 있지만, 적용 법리가 단순하고 성희롱이라는 가해 행위가 명시적으로 드러난 사례라는 점에서 직장 내 괴롭힘을 포괄적으로 규율할 수 있는 사례로 일반화해 평가하기는 힘들다.

업무상 재해 또는 근로자의 자살 사건에서 직장 내 괴롭힘 문제가 부분적으로 연관된 경우가 있지만, 이때도 근로자의 정신적 스트레스보다는 신체적 상해나 사망이 주된 원인과 결과로 다뤄진다. 따라서 직장 내 괴롭힘 문제에 대한 근본적 고민이 담긴 사례로 보기는 어렵다. 직장 내 괴롭힘 문제가 명시적으로 다뤄진 법원의 분쟁 사례는 거의 없다. 정신적 침해의 구체적 입증이 어렵기도 하지만 직장 내 괴롭힘 문제를 규정할 수 있는 개념이나 법률이 없다는 점이 가장 큰 이유다.

CASE ; **괴롭힘인가, 정당한 명령인가**

을은 한국 국적을 가지고 있으나 외국에서 태어나 MBA 과정까지 마치고 국내 외국계 회사에 입사해 2년 정도 근무하다 대기업 A사의 마케팅 팀으로 이직했다. 을은 오랫동안 외국 생활을 했기 때문에 우리 문화와 기업 정서에 익숙하지 못해 이직 후 많은 어려움을 겪었다.

그런데 한 달이 넘도록 상급자인 갑을 포함한 주변 동료가 직무 교육과 업무 인수인계를 제대로 해주지 않았다. 팀

회식이나 모임에도 종종 을을 제외했다. 을은 매일같이 갑으로부터 질책을 받았다. 갑은 을이 보고서를 올리면 "네가 외국물 좀 먹었다고 내 말을 우습게 여기냐?"며 비아냥댔다. 을이 자발적으로 해외 시장 동향에 대한 보고서를 올리면 "시킨 것도 제대로 못하는 ××가 왜 시키지도 않은 일을 하는데 시간을 허비하냐?"고 질책하기도 했다.

어느 날 을은 우연히 화장실에서 동료가 자신에 대해 이야기하는 것을 들었다. 동료 중 한 명이 "저러다가 을 그만두는 것 아냐? 갑이 을을 싫어하는 것은 알겠는데 너무 티가 나니까 걱정이 될 정도네. 갑이 이번 회식 때도 을은 회사에 남겨 업무를 보도록 할 생각인가 봐. 이건 사실상 회사 나가라는 이야기 아니야? 을이 눈치가 없는 건지 갑이 너무한 것인지 잘 모르겠다"고 말한 것이다. 을은 갑의 모욕적 언사와 과중한 업무로 극심한 정신적 스트레스와 두통에 시달렸으며 결국 입사 6개월 만에 폭식증 및 우울증 진단을 받았다.

을은 상급자인 갑의 언행으로 심각한 괴로움을 겪었다. 표면적으로는 외국 생활로 인해 한국 회사 문화에 적응하지 못한 을의 개인적 문제이거나, 업무 능력 부족으로 인한 갑의 정당한 지휘·감독으로 볼 수도 있다. 하지만 을이 화장실에서 우연히 듣게 된 동료의 대화에 따르면 갑이 업무상 이유가 없는데도 을을 의도적으로 괴롭히는 측면도 있다.

신입 사원인 을에게 직무 교육과 업무 인수인계를 정상적으로 진행하지 않는 점, 을의 업무가 어떤 점에서 잘못됐는지 구체적으로 밝히지 않고 개인의 신상에 관련된 사항을 언급하며 인격을 침해하는 모욕적 언사를 하는 점, 모든 직원이 참가하는 회식 때 을에게 별도의 업무를 주고 회식에서 제외시키는 점을 보면 을에 대한 갑의 행위는 업무상 정당한 지휘·감독권의 행사라고 보기 어렵다.

을은 갑의 괴롭힘으로 인한 스트레스와 고통을 겪다가 폭식증 및 우울증 진단을 받게 됐기 때문에 갑이 을의 정신적 피해에 대한 책임이 있다고 할 수 있다. 그러나 현행법상 을이 갑을 상대로 책임을 물을 수 있는지는 명확하지 않다. 갑이 정당한 지휘·감독권의 행사 범위를 넘어 을을 괴롭힌 것으로 간주할 수 있다고 하더라도 그것이 명백한 위법이라고 판단할 수 있는 법적 근거가 불분명하기 때문이다.

을의 고충을 파악한 회사는 갑을 상대로 진상 조사를 실시했고 직장 내 괴롭힘 행위가 있었다고 판단했다. 가해자인 갑은 징계 조치 후 전문 교육 기관의 교육을 받았다. 을은 정신 심리 전문의의 상담 치료를 받고 갑과 마주치지 않도록 다른 부서로 이동 조치됐다. 다만 이 과정에서 일부 경영진이 과거에 자신도 상급자에게 당했던 일인데 을이 좀 유별난 것이 아니냐는 의문을 제기하기도 했다. 또 직장 내 괴롭힘을 직접적으로 규율하는 사규가 없어 직장 내 기강 문란 등의 포괄적 이유로 갑을 징계할 수밖에 없었다. 이는 회사가 직장 내 괴롭힘을 심각한 문제로 인식하고 있지 않다는 방증이다.

업무 수행 과정에서 비합리적 지휘·명령이 나오는 경우는 많다. 회사 생활 과정에서 겪는 일정 수준의 불합리는 당연한 것으로 용인되거나 근로자가 스스로 감내해야 할 대상이라는 인식이 팽배한 것은 과거나 지금이나 여전하다. 근로자가 성폭행과 같은 명백한 위법 행위로 피해를 입거나 자살을 선택해 사망하는 단계에 이르러야 직장 내 괴롭힘 문제를 인식하게 되는 것이 현실이다. 그러나 이 역시 근로자 개인의 능력이 부족한 것으로 치부하거나 직장에서 제대로 적응하지 못한 책임으로 돌리는 경우가 있다.

직장 내 괴롭힘 방지법 관련 논의는 걸음마 단계다. 20대 국회에서 발의된 근로기준법 개정안[4]은 직장 내 괴롭힘을 "직장 내외에서 직장 내의 지위나 인간관계 등의 직장 내 우월성을 이용해 업무의 적정 범위를 벗어난 신체적·정신적 고통을 가하거나 업무 환경을 악화시키는 일체의 행위"로 규정하고, 사용자에게 직장 내 괴롭힘을 방지해야 할 의무를 부과하는 것을 골자로 한다. 한편으로는 차별 금지법의 형태로 직장 내 괴롭힘을 규제해야 한다는 방안도 제시되고 있다. 문제는 어떤 행위를 직장 내 괴롭힘으로 볼 수 있는지, 어느 정도 수준에 이른 직장 내 괴롭힘을 법적으로 규제하고 처벌할 것인지를 업무 현장에서 판단하고 적용하기가 쉽지 않다는 점이다.

우리나라 직장 문화의 특성상 최근 발의된 개정안과 같이 직장 내 괴롭힘을 규정해 가해자를 처벌한다면, 처벌의 굴레에서 자유로울 사람이 얼마나 될지 의문이다. 직장인 모두가 서로 상대방을 직장 내 괴롭힘의 가해자로 지목하고 처벌을 주장하는 막장 드라마와 같은 상황이 오지 않으리라고 단정할 수 없다.

직장 내 괴롭힘을 규율하려는 입법의 궁극적 목적이 괴롭힘의 가해자를 처벌하는 것만은 아닐 것이다. 이른바 '직장 내 괴롭힘 방지법'의 궁극적 목적은 회사 내에서 일상의 대부분을 보내는 직장인을 위한 행복하고 쾌적한 근로 환경 조성이다. 직장 내 괴롭힘 문제로 인해 가해자와 피해자의 구도로 분열된 갈등의 상황을 이해하고 사람과 조직을 통합하는 노력이 필요하다. 이런 노력이 직장 내 괴롭힘 방지법을 마련하고 가해자를 처벌하는 것보다 선행돼야 한다. 직장 내 괴롭힘 문제를 포함한 근로자 인권 문제의 근본적 해결 방안을 도출하기 위해서는 포괄적 접근법을 찾을 필요가 있다. 직장 내 괴롭힘은 그저 어떤 사건에 관련된 개인의 문제가 아니라 우리 사회 전 구성원 모두에게 책임이 있는 구조적 문제이기 때문이다.

외국에서는 어떻게 규율하고 있을까

(1) 개별 법률을 규정한 경우 ; 스웨덴, 벨기에

직장 내 괴롭힘에 적용되는 개별 법률을 제정해 규율하는 대표적 국가로 스웨덴이 있다. 스웨덴은 1993년 〈직장 내 괴롭힘 조례Victimization at Work〉를 제정했다. 이 법은 직장 내 괴롭힘을 "근로자 개개인을 표적으로 하는 공격적 수단에 의해 집요하게 행해지는 비난 또는 명백하게 비방적인 행동으로 근로자를 직장 공동체로부터 배제하는 결과를 초래하는 행위"로 정의했다. 또한 직장 내 괴롭힘 징후가 발생할 경우와 괴롭힘 피해 근로자가 신속한 조치를 요구할 경우 사용자가 적절한 대응 조치를 취하도록 해 직장 내 괴롭힘에 관한 예방과 관리 의무를 부여했다. 이후 〈스웨덴 근로 환경법The Swedish Work Environment Act〉과 〈차별 금지법Law against Discrimination〉을 추가로 제정해 직장 내 괴롭힘 현상을 지속적으로 규율하고 있다.

벨기에도 1996년 제정된 〈근로자의 업무 성과에 대한 복지법Workers Welfare in the Performance of their Work〉을 발전시켜 2002년 6월 〈직장 내 폭력 및 도덕적 또는 성적 희롱으로부터의 보호법Protection from Violence and Moral or Sexual Harassment at Work〉을 제정했다. 이 법에서는 정신적 괴롭힘을 "기업 내외에서 발생하며 원하지 않은 행동, 언어, 협박, 행위, 몸짓 및 서면의 형태를 취한, 그 의도 또는 영향이 근로자의 개성, 존엄 또는 신체적 혹은 심리적 정합성을 손상시키는 것, 그 고용을 위험하게 하는 것 또는 협박적, 적대적, 굴욕적, 모욕적 또는 공격적 환경을 만들어 내는 것에 있는 반복된 학대 행위"라고 정의한다. 그러면서 "행위는 종교나 신념, 장애, 연령, 성적 취향, 성별, 인종 또는 출신 민족과 관련될 수 있다"고 설명하고 있다.

(2) 명시적 법 조항을 두는 경우 ; 프랑스

프랑스에서는 2002년 1월에 공포·시행된 〈사회 근대화법Social Modernization Act〉에서 직장에서의 정신적 침해를 법적으로 금지했다. 프랑스 노동법 122-49조는 "어떠한 근로자도 그 권리와 존엄을 훼손하고 신체적 또는 정신적 건강을 훼손하게 하거나, 또는 그 직업에 장래를 위험하게 할 우려가 있는, 근로조건의 악화를 목적으로 하거나 또는 그러한 결과를 초래하는 반복된 정신적 괴롭힘 행위를 받아서는 안 된다(제1항)"고 규정했다. 또한 "근로자가 이러한 행위를 거부한 것을 이유로, 또는 관련 증언 혹은 진술을 이유로 제재를 당하거나 해고되거나 또는 보수, 직업 훈련, 편성, 배치, 등급, 승진, 배치전환 혹은 계약 갱신에 대해 간접적 또는 직접적 차별 조치의 대상이 되어서는 안 되며(제2항)", "이러한 행위로부터 발생한 근로계약의 모든 해약, 기타 상기에 반하는 규정과 행위는 당연히 법적으로 무효가 된다(제3항)"고 규정돼 있다.

이 조항에서 규정하는 행위를 한 근로자는 모두 징계 처분이 부과되며(제50조), 사업주는 이러한 행위를 예방하기 위해 모든 조치를 취할 의무가 있다. 입증 책임도 괴롭힘 사건의 가해자에게 있다. 구제 신청이 제기되면 가해자는 문제가 된 행위가 정신적 괴롭힘에 해당하지 않으며 괴롭힘과 관계가 없는 행위였다는 점을 입증함으로써 정당성을 인정받고 책임을 면제받을 수 있다. 이 규정은 가해자가 적극적 괴롭힘의 의사를 가지고 있었던 경우뿐 아니라 무의식적으로 피해를 야기한 경우까지 형사적 제재의 범주에 포함시켜 1년 이하의 금고 또는 벌금에 처하도록 하고 있다. 사용자가 직접 가해 행위를 한 경우뿐 아니라 동료 근로자가 가해 행위를 한 경우도 사용자의 책임과 조치를 의무화했다.

프랑스의 법은 직장 내 괴롭힘의 발생 원인이나 피해의 심각함에 착안한 입법이라는 점에서 주목할 필요가 있다. 법률에 의해 규제될 수 있는 정신적 괴롭힘 행위의 조건이나 결과를 정한 것이 특징이다. 프랑스 법원은 직장 내 괴롭힘에 대한 사용자의 직접 과실이 없다는 이유만으로 사용자가 책임으로부터 면제되는 것은 아니라는 입장을 취하고 있다. 이러한 판례의 목적은 근로자를 보호하는 것뿐 아니라, 사용자가 적극적으로 직장 내 괴롭힘 방지 정책을 시행하도록 독

려하는 것이다.

(3) 포괄적 일반 규정을 통한 규율 ; 영국, 독일, 미국

영국, 독일, 미국 등에서는 국민의 건강과 안전 보장이나 차별 금지 등에 포괄적으로 적용되는 일반 규정을 통해 직장 내 괴롭힘을 규율하고 있다.

영국에서는 보통법common law에 따른 불법 행위 소송에 의해 직장 내 괴롭힘을 법적으로 규제해 왔다. 그러나 생명이나 신체에 대한 구체적 침해가 있을 경우에만 직장 내 괴롭힘의 불법 행위 책임을 인정하는 법원의 보수적 태도로 인해 사실상 구제가 어려웠다. 하지만 〈직업 안전 보건법Health and Safety at Work Act 1974〉, 〈차별 철폐법Anti-Discrimination Legislation〉, 〈괴롭힘 방지법Protection from Harassment Act〉, 〈고용 권리법Employment Rights Act 1996〉 등의 법률이 제정되며 직장 내 괴롭힘으로 정신적 피해를 받은 근로자가 법적으로 구제받을 수 있는 길이 열렸다. 그러나 영국에서의 규제는 직장뿐 아니라 다양한 사회 분야에 적용될 수 있는 괴롭힘과 차별에 관한 일반 규정에 근거하고 있어 직장 내 괴롭힘에 대한 직접적 규율에 한계가 있다.

독일에도 직장 내 괴롭힘에 대한 특별법은 아직 마련돼 있지 않다. 다만 정신적 침해를 원인으로 한 불법 행위 책임과 형법 제238조에서 스토킹stalking이 범죄 행위라는 규정에 근거해 직장 내 괴롭힘을 규율하려는 논의가 이뤄지고 있다. 아직까지 관련 판결과 사례는 적은 편이다.

미국에서는 〈시민권법 7장Title VII of the Civil Rights Act of 1964〉에 따라 직장에서 상급자로부터 받은 차별 등의 피해에 가해자인 직장 상사와 함께 고용주인 회사도 자동 책임을 지도록 해왔다. 그러나 2013년 6월 24일 미국 연방 대법원은 볼 주립대 사건Vance v. Ball State University[5]의 판결에서 직장 내 차별 등 불법 행위에 고용주인 회사가 가해자와 공동으로 책임을 지기 위해서는 적어도 해고와 강등 또는 징계 등을 행사할 수 있는 정도의 권한, 즉 피해자에 대한 근로계약 변경 권한을 가진 상사가 가해 행위를 했을 조건을 필요로 하며 이러한 권한이 없는 상사의 괴롭힘은 동료 직원의 차별 대우 및 괴롭힘 등으로 인한 경우와 같은 정도로 보고 고용주인 회사에게 시민권법에 따른 책임을 물을 수 없다고 판결해 기존 법리에 제동이 걸리기도 했다.

(4) 정책을 통한 접근 ; 일본

일본도 우리나라와 마찬가지로 직장 내 괴롭힘을 직접적으로 규율하고 있는 현행법은 없다. 하지만 후생노동성에서 전국적인 현황 조사를 실시하고 각계 전문가로 구성된 연구회를 개최하는 등 직장 내 괴롭힘을 규제하기 위한 정책을 활발히 추진하고 있다.

지금까지 일본에서 직장 내 괴롭힘과 관련해 법원에 제소된 사건은 100여 건에 달하며 2012년까지 각 도도부현都道府県의 노동국에 조정을 요청한 사건도 1121건에 이른다. 제소, 조정 요청 건수는 매년 빠르게 증가하고 있다.

2011년 7월 일본 정부는 후생노동성에 '직장 괴롭힘 문제에 관한 원탁회의 워킹 그룹'을 만들고 이 문제를 해결하기 위한 국가 차원의 정책 논의의 장을 마련했다. 워킹 그룹은 노사가 예방·해결에 힘써야 하는 행위를 harassment에서 따온 '직장의 파워 하라스먼트職場のパワーハラスメント'라는 개념으로 제안했다. 이후 일본에서는 약어인 '파와하라パワーハラ'로 직장 내 괴롭힘 현상을 정의하고 있다. 파와하라란 "같은 직장에서 일하는 자에게 직무상의 지위나 인간관계 등 직장에서의 우위를 배경으로 업무의 적정한 범위를 초월해 정신적·신체적 고통을 주거나 또는 직장 환경을 악화시키는 행위"로 정의된다.[6]

2011년 일본 노동 정책 연구 기구가 노사를 대상으로 실시한 조사에서 인원 삭감 및 부족으로 인한 과다 노동과 스트레스, 직장 내 커뮤니케이션 부족, 회사 측의 실적 향상 압박, 성과 중심주의, 관리직의 과중한 업무와 바쁜 스케줄, 취업 형태의 다양화 등이 직장 내 괴롭힘의 주요 원인으로 지적

됐다. 일본은 그간 직장 내 괴롭힘 문제에 주로 학교 내의 집단 괴롭힘을 지칭하는 '이지메いじめ'라는 용어를 사용해 왔으나 최근에는 파와하라를 사용한다.

일본에서 직장 내 괴롭힘 문제와 관련한 소송은 주로 손해 배상 청구로 진행된다. 일본의 민법 시스템에서는 가해자 개인의 불법 행위 성립 여부가 최대 쟁점이 된다. 사용자에게 사용자 책임, 안전 배려 의무 위반에 따른 계약 책임을 묻는 경우도 있다.

직장 내 괴롭힘 행위 및 관련 판단을 워킹 그룹이 제시한 여섯 가지 행위 유형별로 분류해 보면 다음과 같다. 첫째 유형은 폭행·상해 등(신체적 공격)으로 당연히 대부분이 위법이다. 둘째 유형은 협박·명예 훼손·모욕·지나친 폭언(정신적 공격)이다. 셋째 유형은 격리·따돌림·무시(인간관계 단절)다. 넷째 유형은 업무상 불필요한 일이나 수행이 불가능한 일의 강요, 업무 방해(과다한 요구)다. 다섯째 유형은 합리적 이유 없이 능력이나 경험과 동떨어진 단순 업무를 시키거나 업무를 부여하지 않는 행위(과소한 요구)다. 여섯째 유형은 사적인 일에 과도하게 참견하는 행위(개인의 자유 침해)다.

일본에서도 최근 직장 내 괴롭힘 문제에 대한 관심이 높아져 학계에서 관련 연구 결과가 발표되고 있다. 이 중 직장 내 괴롭힘을 당한 근로자가 그렇지 않은 근로자에 비해 심리적 스트레스 반응 위험이 네 배에서 다섯 배, 외상 후 스트레스 장애 증상의 발병 위험이 여덟 배가 더 높았다는 조사는 주목할 만하다. 또 다른 조사에서는 직장 내 괴롭힘을 당한 그룹이 그렇지 않은 그룹에 비해 건강이 악화한 것으로 나타났다.[7] 이는 직장 내 괴롭힘이 근로자 심신의 건강에 직접적 악영향을 미치고 있음을 보여 준다.

3 은밀하고 교묘한 학대
; 직장 내 무례함

회사가 아니라 상사가 싫다

2014년 상사商社를 배경으로 회사 생활의 에피소드를 다룬 드라마 〈미생〉이 큰 인기를 끌었다. 많은 직장인이 드라마에 나오는 악덕 상사의 모습을 보고 현실을 잘 반영했다며 공감했다. 직장인이라면 한번쯤은 꿈에서도 만나고 싶지 않은 직장 상사와 일해 본 경험이 있을 것이다. 실제로 2015년 갤럽이 7200명의 직장인을 대상으로 실시한 설문 조사[8]에서 응답자의 절반이 "회사가 싫은 게 아니라 상사가 싫어 회사를 떠난다"고 응답했다. 또한 상사에게 가장 바라는 짐은 능력보다 원활한 의사소통이라고 했다.

직장인에게 스트레스와 괴로움을 유발하는 것은 과중한 업무만이 아니다. 함께 일하는 사람의 무례함도 직장인에게 스트레스를 주는 요인이다. 2018년 3월에 발표된 한국노동연구원의 설문 조사 결과를 보면 20~50세 직장인 2500명 중 66.7퍼센트가 직장에서 비인격적 대우를 받았다고 답했다. 유형은 협박, 명예 훼손, 모욕, 폭언 등 정신적 공격(24.7퍼센트)이 가장 많았다. 업무 외의 일을 시키거나 과도한 업무 요구(20.8퍼센트), 따돌림, 무시 등 인간관계에서의 분리(16.1퍼센트)가 뒤를 이었다.

그런데 법적으로 인격 모독적 언행은 욕설이나 협박과 같이 명백히 위법한 행위로 판단하기 어려운 측면이 있다. 또

상당수 직장인이 '직장 생활을 하려면 그 정도는 어쩔 수 없는 것 아니겠느냐'는 관념을 가지고 있는 것도 문제다.

직장 내 괴롭힘은 영어의 workplace harassment라는 용어를 번역한 것이다. 직장 내 괴롭힘은 보통 유럽 국가에서는 '타인을 괴롭히고 공격하고 사회적으로 배제하거나 타인의 업무에 부정적인 영향을 가하는 행위'로 정의된다. 관점에 따라서 직장 내 괴롭힘에 대한 정의는 달라질 수 있다. 미국의 직장 괴롭힘 연구소Workplace Bullying Institute·WBI는 매우 높은 기준을 적용해 위협, 굴욕감 주기, 협박하기, 업무 방해하기 등 학대와 언어폭력을 반복하는 일련의 포괄적 행위를 모두 직장 내 괴롭힘으로 정의한다. 그런데 이와 같은 관점에서 접근할 경우 직장 내 괴롭힘의 범주가 지나치게 확대되는 문제점이 있다. 따라서 일부 사안의 경우 '직장 내 무례함workplace incivility'이라는 개념으로 구분할 필요가 있다.

직장 내 무례함은 "직장 생활에서 통용되는 규범을 해칠 정도로 타인에 대한 배려, 존중, 예의에 벗어난 언행"으로 정의할 수 있다. 직장 내 무례함은 폭력이나 괴롭힘에는 해당하지 않지만 반복되면서 문제가 되는 언행을 지칭하는 개념이다.

위법하다고 판단하기는 어렵지만 사회적으로 또는 회사 내에서 문제가 되는 행위를 정의하는 것이 중요하다. 미래학자이자 경영학자인 피터 드러커Peter Drucker는 "직장 내 무례함은 매일매일 쏟아지는 수천 개의 돌과 화살로 조직의 침식을 촉진하는 촉매제와 같은 것"이라고 비유했다. 뉴욕 주립대의 조엘 뉴먼Joel H. Neuman 교수는 직장 내 무례함의 열 가지 주요 유형을 다음과 같이 제시했다.

① 다른 사람 뒤에서 험담하기

② 말이나 행동을 중간에 끊기

③ 자신의 지위나 권한 남용하기

④ 다른 사람의 의견 경시하기

⑤ 전화나 메시지에 회신하지 않기

⑥ 다른 사람의 의견에 침묵으로 대하기

⑦ 모욕적인 말, 고성과 고함

⑧ 성희롱

⑨ 째려보기, 차갑고 부정적으로 바라보기

⑩ 칭찬은 적게, 비판은 많이 하기

조금 쉽게 표현하자면 직장 내 괴롭힘은 쇠망치로 때리는 행위로, 직장 내 무례함은 뿅망치로 때리는 행위로 비유할 수 있다. 다른 사람을 쇠망치로 때리는 행위는 누가 보더라도 가해자가 상대방에게 위협·폭력을 가하려는 의도와 행위, 피해자의 피해 상처 등이 명백히 드러나는 것으로 사회 통념상 또는 법률상으로 금지되는 위법한 행위다. 그러나 다른 사람을 뿅망치로 때리는 행위는 가해자의 의도, 피해자의 피해 양상, 위법성이 명확하지 않고 모호하다. 즉각적으로 법을 위반하는 문제는 아니지만 피해자는 결국 스트레스와 괴로움이 쌓이고 일상·직장 생활에 지장을 받게 된다.

실제 기업 현장에서 발생하는 갑질 사례는 가해자를 특정인으로 명확하게 지목할 수 있는 현상이라기보다 누군가로부터 한번 시작되면 조직 전체로 전염되는 다계층 간의 복합적 현상으로 볼 수 있다. 또한 대부분은 위법성이 명백하게 드러나지 않는 은밀하고 교묘한 행위라는 점도 고려해야 한다. 2017년 국가인권위원회의 보고서에서 따르면, 직장인 응답자의 절반이 넘는 53.1퍼센트가 '상사 및 동료가 업무 관련 사소한 일에 트집을 잡거나 시비를 건 경우'를 자신이 당한 직장 내 괴롭힘이라고 답했다. 이 같은 경우가 직장 내 괴롭힘의 대표적 유형이라고 한다면, 직장 생활을 하면서 한 번도 타인을 괴롭힌 적이 없다고 단언할 수 있는 사람은 거의 없을 것이다. 직장 내에서 발생하는 모든 괴로움을 직장 내 괴롭힘이라고 단정하기보다는, 직장 내 무례함이라는 개념을 활용해 유연하게 접근할 필요성이 여기에 있다.

직장 내 무례함의 핵심은 지속·반복성에 있다. 1~2회 직장 내 무례함에 해당하는 행위를 했다고 행위자를 법적으로 처벌하거나 조직적 제재를 가하는 것은 비현실적이다. 무례함이라는 용어 자체가 추상적이고 주관적이어서 피해자의 입장에서는 가해자의 모든 행위가 직장 내 무례함이라고 주장할 수도 있다. 따라서 지속·반복적인 무례한 행위로 조직과 개인에게 직장 내 괴롭힘과 비슷한 수준의 인격 침해와 손해를 가하는 경우에 한해 법적으로 제재하고 통제할 근거를 찾아야 한다.

대부분의 직장인이 앞서 언급한 열 가지 유형 중 상당 부분이 자신에게도 해당하며, 비슷한 스트레스와 괴로움을 겪고 있다고 말할 것이다. 직장 내 무례함의 열 가지 주요 유형 중 한 가지도 발생하지 않는 조직은 그야말로 이상적 회사일 것이다. 하지만 그런 '청정 지역'을 찾기란 쉽지 않다. 아무리 뛰어난 리더도 사람이기 때문에 자신의 의도와 무관하게 다른 사람에게 무례한 언행을 할 수 있다. 따라서 사회 통념 또는 법률상 명백히 문제가 되는 직장 내 괴롭힘과 달리 직장 내 무례함에 대한 판단은 조직과 업무의 특성에 맞춰 유연하게 열어 둘 필요는 있다.

가치관의 차이, 직장의 갈등

한국에서 직장 내 무례함에 대한 관심이 외국에 비해 상대적으로 낮은 이유는 직장에서도 가족같이 지내야만 한다는 기대, 유교 문화의 영향에 따른 장유유서의 관념, 소위 '까라면 까라'는 군대식 조직 문화 때문이라고 볼 수 있다. 여기에 더해 경영 환경이 치열해지고 무한 경쟁과 성과 중심 조직 문화가 퍼지면서 타인을 배려하기보다 자신의 생존을 우선하는 경향이 강해지고 있다. 다양한 세대가 한 조직에 공존하지만 가치관의 차이로 서로에 대한 이해가 부족한 경우도 많다.

요즘 회사에는 임원급의 1차 베이비부머 세대(1955~1963년생), 부장·차장급의 학생 운동을 주도했던 세대(80년대 중반~90년대 초반 학번), 과장·대리급의 학부제 세대(96학번 이후), 사원급의 민주화 운동·88년 서울 올림픽을 겪어 보지 않은 세대(90년대생)가 공존하고 있다. 과거에는 30년을 단위로 한 세대를 구분했고 같은 세대가 가지고 있는 가치관은 비슷하다고 봤지만, 요즘에는 10년 정도 나이 차이가 나더라도 전혀 다른 가치관을 가지고 있기 때문에 세대 간의 상호 이해 수준이 과거에 비해 더 낮을 수밖에 없다.

직장 내 무례함이라는 문제를 진단·예방·관리하지 않을 경우 쉽게 학습·모방돼 조직 문화 전반으로 확산되기 쉽다. 아무리 좋은 직원이라 하더라도 공격적인 성향의 상사와 오랫동안 일을 할 경우 상사의 모습을 은연중에 닮아 가면서 조직 문화가 고착될 수 있다. 직장 내 무례함의 문제가 근로자의 인격권을 심각하게 침해할 경우, 실제 무례함을 가한 사람은 물론 예방 관리를 충실하게 이행하지 못한 회사에도 법적 책임이 따를 수 있다. 다만 절대적 기준에서 모든 유형의 직장 내 무례함을 처벌하면 구성원이 인간관계를 유지하거나 업무 자체를 정상적으로 수행하는 것이 힘들어질 수도 있다.

한편으로는 어떤 근로자가 직장을 떠나지 않거나 또는 자신의 업무를 충실히 수행하려면 일정 수준의 침해는 수인受忍할 의무가 있다는 균형적 시각도 필요하다. 여기에서 '수인 의무'[9]는 중요한 의미가 있다. 예컨대, 아파트 등 공동 주택에서의 층간 소음은 일상생활에서 불가피하게 발생할 수밖에 없는 것이므로 피해자 입장에서도 어느 정도까지는 참아야 할 의무가 법적으로 정해져 있다.

총이나 폭탄과 같은 위험한 무기를 다루는 전방의 군대에서 고성의 복명복창을 요구하는 조직 문화는 어떤 면에서는 군인이 당연히 받아들여야 할 의무에 해당할 것이다. 그러나 일반 기업에서 군대식 조직 문화를 강요하는 것은 비상식적이다. 직장의 업무 특성이나 근무 환경을 고려해 어떤 사건이 발생했을 때 대입해 볼 수 있는 합리적 기준을 구체화해야 한다. 직장 내 무례함은 매너의 문제이기 때문에 굳이 문서의 형식을 갖추지 않더라도 암묵적 기준을 설정할 수도 있다. 회사 또는 조직별로 충분한 합의 과정이 필요할 것이다.

CASE ; 악덕 상사의 항변은 정당할까?

A사는 직원의 직무상 스트레스와 괴로움의 수준을 파악하기 위해 조직 문화 진단 조사를 실시했다. 직원들이 직장에서 느끼는 스트레스와 괴로움은 생각했던 것보다 훨씬 심각했다. 다른 사람의 말을 끝까지 들어 보지도 않고 중간에 끊으면서 자신의 생각만을 이야기하고, 짜증스런 표정으로 한숨을 쉬며 상대를 째려보고, "이런 보고 자료는 쓰레기다", "너 학교 어디 나왔어?"라며 고성을 지르는 B임원이 원인으로 지목됐다. 다수의 직원들은 회사가 B임원에게 분명한 메시지를 전달할 것을 요구했다.

그런데 B임원은 인사 담당 임원과의 면담에서 "회사를 위해 열심히 일하고 부하 직원을 조금이라도 더 발전시키기 위해 노력했던 것일 뿐"이라고 항변했다. 또 자신의 언행에 대한 직원들의 부정적 평가에 큰 당혹감을 표했다. 실제 B임원은 A사의 창립 멤버로 뛰어난 업무 성과를 보여 왔다.

B임원의 언행은 직장 내 무례함의 대표적 유형이다. 애사심과 열정이나 성과가 뛰어난 점은 인정하지만 아무리 좋은 의도라도 대다수의 직원이 스트레스와 괴로움을 느낄 만큼 지속적으로 무례한 행위를 하고 있다는 점에서 B임원의 행위는 합리적 관리로 인정받기 어려울 것이다.

직장 내 리더십과 스트레스 및 심장 질환과의 연관성을

연구하는 조너선 퀵Jonathan Quick 미국 하버드 의대 교수는 "나쁜 상사는 시간이 갈수록 부하 직원의 정신과 육체 모두를 병들게 한다. 업무 성과 향상을 위해서라는 자기 합리화에도 불구하고, 잘못된 리더십이 유발하는 스트레스는 부하 직원의 업무 성과나 생산성 향상에 결코 도움이 되지 않는다"고 지적했다. 또한 상사로 인한 만성 스트레스는 고혈압과 수면 장애, 불안을 유발하고 흡연, 과음, 폭식 등으로 이어질 수 있어 건강을 해친다고 경고했다.[10]

회사는 B임원에게 자신의 행위가 직원에게 상당한 스트레스와 괴로움을 주는 직장 내 무례함에 해당한다는 것을 주지시키고 좀 더 합리적인 방식으로 직원과 커뮤니케이션할 것을 요청해야 한다. 상담 및 일대일 코칭 등의 교육을 통해 B임원의 인식과 태도의 변화를 유도하고, 심각할 경우 징계도 고려할 수 있다.

직장 내 무례함은 단순히 가해자와 피해자 사이에서 일어나는 일대일 관계의 사건이 아니라 서로를 신뢰하지 못하고 대립하게 만드는 조직 문화에 근본 원인이 있다. 회사는 근로자가 즐겁고 평온한 마음으로 업무에 임하고, 직장 내 괴롭힘이나 무례함 등으로 인한 인격 침해를 받지 않도록 조직 문화를 관리할 의무가 있다. 내부 규준을 확립함과 동시에 회사 업무와 구성원의 특성을 고려해 근로자의 수인 의무를 포함한 업무 가이드라인을 정립해야 한다. 반드시 직장 내 무례함이라는 용어로 규정되지는 않더라도 상대방의 감정을 상하게 하고 스트레스와 괴로움을 주는 언행을 통제할 수 있도록 교육할 필요가 있다. 외부 전문가의 도움을 통해 조직 문화의 수준과 문제점을 진단하고 그에 따른 개선 방안을 수립하는 것도 방법이 될 것이다.

4

권력의 문제
; 직장 내 성희롱

여성의 사회적 권리가 신장됐다지만 직장 등 사회생활에서 발생하는 성희롱·성폭행 문제는 끊이지 않는다. 직장 내 성희롱은 권력 관계, 사회적 지위에 따른 지휘·명령 관계에서 비롯되는 것이 대부분이다. 이론적으로는 여성이 남성에게 성희롱을 가할 수도 있고 동성 간에도 발생할 수 있지만 현실에선 여성이 피해자인 경우가 대부분이다.

한국여성노동자회가 2017년 '평등의 전화' 상담 사례 2864건을 분석한 결과, 직장 내 성희롱 관련 상담이 692건(24.4퍼센트)에 달하는 것으로 나타났다. 이는 2016년 454건(17퍼센트)에 비해 200건 넘게 늘어난 결과다. 2013년의 236건(8.6퍼센트)과 비교하면 세 배 가까이 급증했다. 국가인권위원회와 고용노동부의 직장 내 성희롱과 관련된 진정 건수도 계속 증가하는 추세다.

〈양성 평등 기본법〉, 〈남녀 고용 평등과 일·가정 양립 지원에 관한 법률〉, 〈국가인권위원회법〉 등에서는 성희롱의 예방·금지·구제를 위한 규정을 마련하고 사용자에게 일정한 의무를 부과하고 있다. 성희롱 관련 입법은 성희롱을 개인 간에 발생하는 사적인 문제가 아니라 직장 내 위계질서 또는 권력의 불평등 때문에 발생하는 문제로 국가가 개입해 규제할 사안으로 본다. 하지만 성희롱 가해자의 징계 등 처벌의 의무 및 필요성에 비해 피해자에 대한 보호 의무와 책임에 대한 인식은 여전히 부족하다.

피해자가 아니라 일반인이 기준이다

직장 내 성희롱이란 사업주·상급자 또는 근로자가 직장 내 지위를 이용하거나, 업무 등과 관련한 성적 언동으로 상대방에게 성적 굴욕감이나 혐오감을 느끼게 하는 행위를 뜻한다. 상대방이 성적 언동이나 그 밖의 요구 등에 따르지 않았다는 이유로 고용상 불이익을 주는 것도 포함된다. 한국에서는 일반적으로 성폭력 또는 성폭행과 성희롱을 구분한다. 전자는 강간, 강제 추행 등 신체적, 물리적 폭력을 의미하고 후자는 강간, 강제 추행 등을 제외한 가벼운 성적 괴롭힘을 뜻한다. 그러나 법률적으로 성희롱은 '성적 언동 등으로 근로자에게 성적 굴욕감이나 혐오감을 느끼게 하는 행위'를 의미한다.

성적 언동 등에 따르지 않았다는 이유로 고용상의 불이익을 주는 행위가 발생했을 때 사용하는 직장 내 성희롱의 의미는 이해하기 어렵지 않다. 그런데 근로자에게 고용상의 불이익 없이 성적 언동 등으로 성적 굴욕감 또는 혐오감을 느끼게 하는 행위는 직장 내 성희롱의 개념을 모호하게 만든다. 고용상의 불이익이란 해고, 징계, 대기 발령 등 객관적 행위를 의미하지만 성적 굴욕감 또는 혐오감은 사람의 주관적 인식에 기초하기 때문이다. 성적 굴욕감 또는 혐오감을 피해자의 주관적 인식에 기초해 판단하느냐 또는 대중의 인식에 기초해 판단하느냐에 따라서 성희롱의 판단 여부는 달라질 수밖에 없다.

법원의 판례[11]는 "성희롱의 전제 요건인 성적 언동 등이란 남녀 간의 육체적 관계나 남성 또는 여성의 신체적 특징과 관련된 육체적, 언어적, 시각적 행위로서 사회 공동체의 건전한 상식과 관행에 비추어 볼 때 객관적으로 상대방과 같은 처지에 있는 일반적이고 평균적인 사람으로 하여금 성적 굴욕감이나 혐오감을 느끼게 할 수 있는 행위를 의미한다고 할 것이고, 위 법 규정상의 성희롱이 성립되기 위해서는 행위자에게 반드시 성적 동기나 의도가 있어야 하는 것은 아니지만, 당사자의 관계, 행위가 행해진 장소 및 상황, 행위에 대한 상대방의 명시적 또는 추정적 반응의 내용, 행위의 내용 및 정도, 행위가 일회적 또는 단기간의 것인지 아니면 계속적인 것인지 여부 등의 구체적 사정을 참작하여 볼 때, 객관적으로 상대방과 같은 처지에 있는 일반적이고 평균적인 사람으로 하여금 성적 굴욕감이나 혐오감을 느낄 수 있게 하는 행위가 있고, 그로 인해 행위의 상대방이 성적 굴욕감이나 혐오감을 느꼈음이 인정돼야 할 것이다. 따라서 객관적으로 상대방과 같은 처지에 있는 일반적이고도 평균적인 사람으로 하여금 성적 굴욕감이나 혐오감을 느끼게 하는 행위가 아닌 이상 상대방이 성적 굴욕감이나 혐오감을 느꼈다는 이유만으로 성희롱이 성립될 수는 없다고 할 것이다"고 판시했다. 이는 성희롱의 성립 요건인 성적 굴욕감 또는 혐오감은 피해자의 주관적 인식에 기초해 판단할 것이 아니라 같거나 비슷한 처지에 있는 일반인의 관점에서 판단해야 한다는 입장을 명확히 한 것이다.

기업에서는 성희롱을 주로 피해자의 주관적 인식을 기초로 판단해 사소한 농담 등을 모두 징계의 대상으로 삼기도 한다. 물론 이러한 발언도 부적절한 측면이 있으므로 회사 차원에서 그에 대한 주의를 주는 것은 타당하다. 다만 당사자와의 관계, 당시의 정황 등을 종합적으로 고려해 피해를 주장하는 사람과 동일하거나 비슷한 상황에 있는 일반인의 기준에 따라 성희롱 여부를 판단할 필요가 있다.

권력형 성희롱의 급증

일반적으로 어떤 행위가 위법한 것으로 인정받기 위해서는 반드시 피해자에게 해를 가하려 한 가해자의 의도가 확인돼야 한다. 그러나 성희롱의 판단에는 피해자가 성적 굴욕감이나 혐오감을 느낀 것으로 볼 수 있는 객관적 상황이 중요하고, 그 성립에 반드시 가해자의 성적 동기나 의도가 있어야 하는 것은 아니다.

일회적이거나 단순한 성적 언동도 성희롱이 될 수 있다. 많은 성희롱 가해자는 "실수로 한 번 그랬을 뿐이다" 또는 "그 정도 언행이 성희롱에 해당할 줄 몰랐다"며 부인하는 경우가 많다. 그러나 단 한 번의 언동이라도 피해자가 성적 굴욕감을 느꼈거나 성적 요구를 거부했다는 이유로 고용상의 불이익을 받았다면 성희롱은 성립할 수 있다. 한 번 정도는 크게 불쾌감을 주지 않는 언동이라도 이를 반복해서 피해자가 성적 굴욕감을 느꼈다면 성희롱으로 인정되기도 한다.

성희롱은 직장 내에서 권력과 지위를 가진 사람이 가해자가 되는 경우가 많다. 국가인권위원회가 2012년 발간한 〈성희롱 진정 사건 백서〉에 따르면 성희롱의 가해자는 직장 상사(78.7퍼센트), 사업주(13.4퍼센트), 동기(6.7퍼센트), 후배(1.2퍼센트) 등으로 사업주나 직장 상사에 의한 성희롱이 무려 92.1퍼센트를 차지한다.

성희롱의 발생 원인을 설명하는 대표적 이론이 두 가지 있다. 조직의 위계 구조에서 파생되는 권력 관계 때문이라는 이론(조직 모델)과 '남성은 지배자'라는 가부장적 사회 및 조직 문화가 성희롱으로 나타난다고 가정하는 이론(사회 문화적 모델)이 있다. 상사가 부하 직원보다, 남성이 여성보다 상대적으로 우월한 지위에서 성희롱 행위를 정당화하거나 불가피하게 감내해야 하는 사회 문화적 요소로 합리화하는 경우를 예로 들 수 있다.

직장 내 성희롱의 발생 시점과 장소, 방식은 업무와 일상으로 구분지어 생각할 수 없다. 직장 내 성희롱은 출장, 회식 시간, 심지어 퇴근 후 야간 및 휴일에도 지속적으로 발생하기 때문이다. 성희롱은 직장이라는 장소와 업무 시간이라는 경계를 넘어서 발생할 수 있다는 뜻이다. 가해자가 자신의 지위를 이용할 수 있는 상황이거나 업무 관련 활동을 위한 만남·술자리에서 발생한 성희롱은 충분히 업무 관련성이 있는 것으로 인정된다.

서비스 산업의 발달에 따라 고객이나 거래처로부터도 성희롱 피해가 발생하고 있다. 업무 수행 과정에서 고객의 성희롱으로 근로자가 고충 해소를 요청할 경우 회사는 근무 장소 변경 등의 조치를 취해야 한다.

CASE ; **성희롱은 가해자만의 문제일까?**

A사는 전국에 영업 지점을 두고 제품을 판매하는 회사로 권역별, 지역별, 지점별 영업 책임자를 별도로 두고 있다. 권역별 책임자는 자신의 권역에 속해 있는 각 지역 및 지점의 영업에 대한 지휘·감독 책임을 지고, 정기적으로 각 지역 및 지점을 방문해 영업 활동 상황을 점검했다. 사건이 발생한 당일에도 A사의 1권역 책임자 갑(남)은 1권역 소속 2지역을 방문해 해당 지역의 책임자 및 산하 각 지점의 책임자와 영업 회의를 열었다. 공식 행사가 모두 끝나고 2지역의 책임자 을(여)을 비

롯한 여러 직원과 회식을 가졌다. 1차가 끝나고 갑은 을과 다른 직원이 2차를 가도록 한 후 자신은 숙소로 잡은 회식 장소 인근 호텔로 먼저 들어갔다.

남은 직원끼리 2차를 마무리하던 중 을은 갑으로부터 "2지역 직원 문제로 긴히 얘기할 것이 있으니 내가 묵고 있는 호텔로 오라"는 연락을 받았다. 을은 "시간도 늦었고 술도 많이 드셨으니 내일 전화로 하는 것이 어떻겠느냐"라며 갑의 요구를 거부했다. 그러자 갑은 다시 전화해 "내일은 내가 다른 지역으로 가야 하니 만날 시간이 없고 중요한 문제니 오늘 꼭 만나서 이야기해야 한다"며 재차 자신이 머무르고 있는 호텔로 와줄 것을 요청했다. 을이 거절하자 갑은 화를 내며 지역 책임자로서의 자질과 태도를 거론하기 시작했다. 을은 마지못해 호텔방으로 가 자신을 오라고 한 이유가 무엇인지 물었다. 갑은 업무와 관련 없는 이야기를 계속하다가 갑자기 을을 뒤로 밀치며 강제로 추행하려고 했으나 을의 저항으로 실패했다. 을은 다음 날 갑에게 전화해 전날 발생한 사건에 대해 구체적으로 물었고 갑은 자신의 잘못을 인정하며 사과했다. 을은 자신이 작성한 시간대별 일지와 갑과의 통화 녹취록을 회사에 제출하고 갑에 대한 징계, 자신의 정신과 치료에 필요한 30일의 유급 휴가, 6개월분 임금 상당의 퇴직 위로금을 요구했다. A사의 인사 담당자는 갑에 대한 징계와 별도로 갑의 행위에 직접 책임이 없는데도 을에게 유급 휴가를 부여하고 퇴직 위로금까지 지급할 의무가 있는지 의문이 들었다.

을의 성희롱 피해를 예방하지 못한 것에 대한 A사의 책임 여부는 A사의 성희롱 예방을 위한 노력 등을 종합적으로 살펴 판단해야 한다. 갑의 행위는 업무 처리와 관련한 자리에서 발생했으므로 A사는 사용자로서 갑과 함께 손해 배상 책임을 부담할 가능성이 높다. A사는 갑과 을의 근무 공간을 분리하고 갑을 징계할 책임은 물론 을에 대한 근로계약상 보호 의무에 따라 을이 충분히 정신적 안정과 치료를 받을 수 있도록 배려할 의무가 있다. A사가 성희롱 예방과 관련된 보호 의무를 다하지 않았거나, 갑의 성희롱 가해 행위로 발생한 을의 피해를 배상할 책임이 있다고 한다면, 퇴직 위로금도 손해 배상의 방법으로 고려할 수 있다.

그동안 직장 내 성희롱 문제는 표면화되지 않는 경우가 더 많았다. 성희롱 사건이 전혀 발생하지 않는다고 자부하던 회사도 사실은 어느 순간 문제가 터질지 모르는 경우가 더 많을 것이다. 따라서 기업은 관련 법률에 따라 성희롱 예방을 위해 적극적으로 노력해야 하고 피해자 구제 및 가해자 처리에 대한 방법과 절차도 마련하는 것이 좋다.

근로자의 경우 우선 명확한 거부 의사를 표시해 가해자의 행위를 중지시키고 조속히 그 상황에서 벗어나는 일이 가장 중요하다. 다만 회사라는 조직에서 피해자가 자신의 의사를 표하는 것이 쉬운 일은 아니다. 성희롱 가해자가 승진이나 고용에 절대적 영향을 끼칠 수 있는 지위에 있다면 더욱 어렵다. 이런 경우 성희롱 가해자에게 이메일이나 문자 메시지 등을 보내 완곡하게 해당 행위에 대한 자신의 입장을 밝히고 향후 유사한 언행을 하지 않을 것을 요구하는 것도 한 방법이다. 이는 조직 내에서 문제를 크게 공론화하지 않으면서도 향후 분쟁 시 증거로 활용될 수 있다.

성희롱 행위에 대한 증거를 남기는 것도 중요하다. 목격자나 상대방이 보낸 문자 및 채팅 메시지 등이 가장 직접적 증거가 된다. 하지만 성희롱 행위가 업무 과정에서 은밀하고 지속적으로 이뤄진다는 점에서 피해를 명확하게 입증하는 것은 쉽지 않다. 사소한 성적 언행이라도 성희롱 당시의 날짜, 시간, 장소, 구체적 내용, 목격자나 증인, 성적 언어나 행동에 대한 자신의 느낌 등을 다이어리 등에 구체적으로 기록해 두거나 가해자의 언행을 녹취, 동영상 등으로 남겨 놓으면 사후 입증에 도움이 된다. 성희롱 사건에 대한 내용을 전해 들은 제3자의 진술도 증거로 폭넓게 인정되므로 가족, 주변 친구 등에게 성희롱 사실을 알리고 고충을 상담하고 이를 기록해 두는 것도 방법이다.

유엔UN, 국제노동기구ILO 등 국제기구는 1985년 성희롱을 인간의 존엄성과 노동권, 평등권을 침해하는 성차별의 문제이자 여성에 대한 폭력의 일종임을 분명히 규정하며 각 국가에 성희롱을 예방하고 피해자를 구제하는 법·정책을 마련해 시행할 것을 촉구했다. 우리나라가 성희롱을 법으로 규제하는 이유도 직장 등 공적 영역에서 위법한 성적 언동으로 근로자가 적대적 업무 환경에 놓이는 것을 방지하고 인간의 존엄성과 기본권 침해를 막기 위해서다.

기업의 성희롱 예방에 관한 인식이 과거보다 향상된 것은 분명하다. 그러나 성희롱 가해자를 처벌하는 정도에만 머물러 있는 경우가 많다. 근로자에 대한 교육은 여전히 형식적으로 진행되는 경우가 대부분이다. 성희롱 문제를 남의 일이라고 생각하기 쉬운 사회 분위기 속에서 의례적으로 성희롱 예방 영상물만 보거나 인사 실무자의 간략한 주의나 당부로 성희롱 예방 교육이 대체되는 경우도 흔하다. 근로자의 입장에서는 예상되는 유·무형의 불이익을 감수하며 직장 상사의 성희롱 문제를 제기하기 쉽지 않다. 기업이 먼저 성희롱 예방 교육 프로그램에 적극적 관심을 가지고 내부적으로 관련 제도를 꾸준하게 강화해 나가는 노력이 필요하다.

가해자를 넘어 기업의 책임

외국에서는 성희롱과 관련해 기업의 책임을 강화하는 경향이 나타나고 있다. 성희롱 가해자에게만 책임을 부과해서는 재발 방지, 피해 보상 등에 한계가 있고, 조직 문화가 성희롱에 관대한 경우 다른 근로자에게 부정적 영향을 주기 때문이다.

성희롱의 가해자는 민형사상 책임을 지게 된다. 업무·고용의 관계로 자신의 보호 및 감독을 받는 여성을 위계 또는 위력으로 간음 또는 추행한 경우 형법 및 성폭력 범죄의 처벌 등에 관한 특례법에 의해 처벌 대상이 된다. 이러한 물리적 행위가 없더라도 성적 언동 등으로 사실 또는 허위 사실을 적시해 명예를 훼손한 경우 또는 공연히 사람을 모욕한 경우 모두 형법에 따라 처벌 대상이 될 수 있다. 상대방에 대한 성희롱이 불법 행위로 인정받는 경우에는 민법 제750조에 따라 상대방에게 손해를 배상해야 할 의무가 생긴다.

사업주는 근로자의 성희롱 행위 자체로는 형사처벌의 대상이 되지 않지만 사용자 지위에서 비롯되는 배상 책임과 피해자와의 근로계약에서 비롯된 채무 불이행 책임 등 민사적 책임을 질 수 있다. 사용자는 근로자를 고용해 이익을 얻게 되므로 근로자의 불법 행위에도 책임을 부담하기 때문이다. 한 근로자가 다른 근로자에게 성 관련 불법 행위를 저지른 경우도 사용자의 배상 책임이 있다. 다만 사용자 배상 책임이 인정되기 위해서는 근로자의 불법 행위가 업무와 관련이 있어야 한다. 따라서 근로자의 행위와 사용자의 사무 집행 관련성 여부가 쟁점이 된다. 법원의 판례는 사용자 배상 책임 인정에 대체로 부정적 입장이었으나 2002년 롯데 호텔 성희롱 사건[12]을 계기로 사용자 배상 책임을 인정하기 시작했다. 최근에는 "근로자의 가해 행위가 비록 사무 집행 그 자체는 아니라 하더라도 사용자의 사업과 시간적·장소적으로 근접하고, 근로자의 사무의 전부 또는 일부를 수행하는 과정에서 이뤄지거나 가해 행위의 동기가 업무 처리와 관련이 있는 것일 경우에는 외형적으로, 객관적으로 사용자의 사무 집행 행위와 관련이 있는 것으로 보아 사용자 책임이 성립한다"라는 입장을 밝히면서 사용자 배상 책임을 과거에 비해 넓게 적용하고 있다.[13]

사용자는 근로자가 일반적 상식과 관행에 어긋나는 성적 언동 등으로 다른 근로자의 인격을 침해한 경우, 가해자와 함께 피해자에게 손해를 배상할 책임이 있다. 또 사용자는 근로자가 의무를 이행하는 과정에서 손해를 보지 않도록 필요한 조치를 강구하고 근로자의 생명, 건강 등에 관한 보호 시설을 설치하는 등의 쾌적한 근로 환경을 제공해 근로자를 보호할 의무가 있다.

사용자는 근무 시간은 물론 회식, 야유회 등에서 근로자가 부당한 성적 차별이나 희롱 등으로 정신적 고통을 당해 인격적 존엄이 훼손당하는 일이 없도록 점검해야 한다. 사용자가 이러한 보호 의무를 제대로 이행하지 않아 성희롱이 발생한 경우 피해자는 사용자를 상대로 채무 불이행 책임을 물을 수 있다. 사용자는 또 회사 업종의 특징 및 근로자의 업무 내용 등을 고려해 성희롱이 발생하지 않도록 근로자를 교육하고 수시로 점검할 의무가 있다.

5 비공식 고용의 폐해 ; 열정 페이

요즘 학생들은 취업을 위해 많은 스펙을 갖춰야 한다. '취준생(취업 준비생) 9종 세트'라 불리는 학벌, 학점, 토익, 어학연수, 자격증, 공모전 입상, 인턴 경력, 사회봉사, 성형 수술에 이제는 국가 직무 능력 표준NSC까지 추가돼 10종 세트가 완성됐다.

이 중 인턴은 법적으로 모호한 근무 형태다. 법적 관점에서 인턴의 개념을 정확히 설명하기란 어렵다. 인턴에 대해 정의한 현행 법 규정은 없다. 인턴에 관한 명확한 설명을 명시한 문헌도 찾아보기 힘들다. 대부분 인사 실무 과정에서도 인턴을 교육생이나 견습생 정도로만 생각하고 근로자에 해당할 수 있다는 점을 간과한다.

근로자는 누구인가

근로기준법 제2조 제1항 제1호는 "근로자란 직업의 종류와 관계없이 임금을 목적으로 사업이나 사업장에 근로를 제공하는 자를 말한다"고 규정하고 있다. 판례[14]는 해당 법 조항을 좀 더 구체화해 "계약의 형식이 민법의 고용 계약인지 또는 도급 계약인지 관계없이 그 실질에 있어 근로자가 사업 또는 사업장에 임금을 목적으로 종속적 관계에서 사용자에게 근로를 제공했는지 여부"로 근로자를 판단하고 있다.

그런데 이 요건이 모두 근로자를 판단하는 실질적 기준이 되는 것은 아니다. '직업의 종류와 관계없이'라는 내용은 법의 일반적 성격을 밝힌 점에 의의가 있지만 그것 자체로는 근로자의 개념을 명확하게 정하기 어렵다. '사업이나 사업장에'라는 표현 역시 모호해 근로자 여부 판단에 결정적으로 작용한다고 보기는 어렵다.

근로자를 판단하는 실질적 기준은 임금을 목적으로 종속적 관계에서 근로를 제공했는지 여부다. 법원 판례[15]는 "업무 내용을 사용자가 정하고 취업 규칙 또는 복무(인사)규정 등의 적용을 받으며 업무 수행 과정에서 사용자가 상당한 지휘·감독을 하는지, 사용자가 근무 시간과 근무 장소를 지정하고 근로자가 이에 구속을 받는지, 노무 제공자가 스스로 비품·원자재나 작업 도구 등을 소유하거나 제3자를 고용해 업무를 대행하게 하는 등 독립해 자신의 계산으로 사업을 영위할 수 있는지, 노무 제공을 통한 이윤의 창출과 손실의 초래 등 위험을 스스로 안고 있는지, 보수의 성격이 근로 자체의 대상적 성격인지, 기본급이나 고정급이 정해졌는지 및 근로 소득세의 원천 징수 여부 등 보수에 관한 사항, 근로 제공 관계의 계속성과 사용자에 대한 전속성의 유무와 그 정도, 사회 보장 제도에 관한 법령에서 근로자로서 지위를 인정받는지 등의 경제적·사회적 여러 조건을 종합해 판단해야 한다. 다만 기본급이나 고정급이 정해졌는지, 근로 소득세를 원천 징수했는지, 사회 보장 제도에 관해 근로자로 인정받는지 등의 사정은 사용자가 경제적으로 우월한 지위를 이용해 임의로 정할 여지가 크기 때문에 그러한 점이 인정되지 않는다는 것만으로 근로자성을 쉽게 부정해서는 안 된다"고 판시하고 있다.

이 중 "업무 내용을 사용자가 정하고 취업 규칙 또는 복무(인사)규정 등의 적용을 받으며 업무 수행 과정에서 사용자가 상당한 지휘·감독을 하는지, 사용자가 근무 시간과 근무 장소를 지정하고 근로자가 이에 구속을 받는지"는 종속적 관계를, "보수의 성격이 근로 자체의 대상적 성격인지"는 임금을 목적으로 근로를 제공하는지 여부를 판단하는 핵심 기준이다. 예를 들어 학습지 교사, 보험 설계사, 레미콘 지입 차주, 골프장 캐디, 방문 판매 대리인 등은 일정한 보수를 지급받는다는 점에서 통상의 근로자와 유사한 형태로 보인다. 그러나 법적으로 이들 직군이 모두 근로자로 인정되지 않는 것은 종속적 관계가 100퍼센트 충족되지 않기 때문이다. 종교 기관에 소속된 성직자도 매월 일정한 급여를 받지만 이 급여는 임금을 목적으로 근로를 제공한 것에 대한 대가가 아니라 종교 활동을 목적으로 활동한 것이므로 근로자로 인정되기 어렵다.

근로자인가, 연수생인가

일반적으로 기업의 연수형 인턴은 우수 인력의 사전 확보, 기업 이미지 제고 등을 목적으로 일정한 기간 동안 다양한 교육을 받는 형태로 진행된다. 연수형 인턴은 채용을 전제로 하지 않는, 순수한 의미의 연수의 일환으로 실시되는 것이라는 점에서 근로자로 보기 어려운 점이 있다. 회사가 사전에 마련한 연수 프로그램에 따라 인턴이 집체 교육을 받거나 팀 또는 그룹을 이뤄 일정한 과제를 부여받아 수행하면서 구체적 평가 및 교육이 이뤄진다면, 형태가 일반적 업무 수행과 유사한 점이 있다고 하더라도 근로자로 보기 어렵다. 목적 자체가 근로의 제공이 아니라 교육 또는 연수에 있기 때문이다.

그런데 형식상 연수형 인턴이더라도 각 부서에 배치돼 실제 업무를 수행하게 되면 근로자로 인정될 가능성이 높다. 기업에서 정규직, 계약직의 할당 문제로 부서당 1~2명의 인력을 연수형 인턴의 형식으로 뽑아 실제로는 업무 관련 자료 정리, 복사, 프레젠테이션 준비, 비품 관리, 책상 청소 등을 시키는 경우가 많기 때문이다. 이는 교육의 의미보다는 직원의 업무를 보조하는 것이어서 근로 제공의 성격이 강하다.

판례와 고용노동부의 행정 해석도 대학생 인턴, 현장 실습생이 실질적으로 근로를 제공해 업무의 종속성이 인정된다면 교육생이 아닌 근로자에 해당한다는 입장을 취하고 있다. 최근 정부에서 청년 실업 대책의 일환으로 기업에서 청년 인턴을 채용하면 급여 일부를 보조금이나 취업 지원금의 형태로 지급해 주는 경우가 있다. 이러한 청년 인턴은 유형적으로는 연수형 인턴이지만, 사실상 현업 부서에서 업무를 한다는 점에서 근로자로 해석하는 것이 더 타당하다.

회사의 현업 부서에서 일정 기간을 근무한 뒤, 근무 성적, 근무 태도, 업무 능력 등을 평가해 정규직 채용 여부가 결정되는 형태를 시용형 인턴이라고 한다. 시용형 인턴은 명백한 근로자다. 시용형 인턴은 회사에서 정식 근로자로 근로계약을 체결하기 이전에 수습 계약 또는 인턴 계약 형태로 채용해 정식 근로자로서의 적격성을 평가받는다. 따라서 근로자의 판단 기준에서 '종속적 관계와 임금을 목적으로 근로를 제공하는 점'이 모두 충족된다. 시용형 인턴의 목적은 연수에 있는 것이 아니라 근로의 제공에 있는 것이므로 법적으로는 기간제 근로자다.

회사가 자신의 사업 분야가 아닌 영역에서 사회 공헌을 할 때 순수한 봉사 활동을 목적으로 참여하는 자원봉사형 인턴도 있다. 자원봉사형 인턴은 근로자의 판단 기준에서 임금을 목적으로 근로를 제공하는 것이 아니라 순수한 봉사를 위해 일하는 것이므로 원칙적으로 근로자가 아니다. 다만 자원봉사형 인턴의 업무가 회사의 업무를 실제로 행하거나 보조했을 경우엔 근로를 제공한 것으로 볼 수 있다.

최근 제주도의 게스트 하우스 업계에서 '무급 스태프'라는 인턴과 유사한 고용 형태가 많이 활용되고 있다. 무급 스태프는 숙식을 제공받고 게스트 하우스의 빨래, 청소, 손님 대응 등의 업무를 담당한다. 게스트 하우스 사업주는 무급 스태프에게 임금이 아니라 숙식을 제공하며, 일부 보조 업무를 수행하는 시간 이외에는 자유 시간을 보장한다는 점에서 이들이 근로자가 아니라고 주장할 수 있다. 그러나 무급 스태프에게 숙식을 제공하는 것은 결국 근로에 대한 임금이라고 보는 것이 타당하다.

CASE ; **연수와 자원봉사**

국내 대기업 계열사인 A사는 여름 방학을 맞아 대학생 인턴을 선발했다. 대학생 인턴은 총 6주 과정으로 첫 3주 동안 회사의 비전을 공유하고, 커뮤니케이션 스킬과 비즈니스 매너를 배우는 등 다양한 교육 프로그램에 참여한다. 남은 3주 동안은 현업 부서에 배치돼 직원과 함께 프로젝트 업무를 수행하며 직무 경험을 쌓는다. 교육 및 직무 경험은 평일 오전 9시에서 오후 6시까지 이뤄지며 인턴에게는 식비와 교통비 명목으로 하루 2만 원의 연수비가 지급된다.

A사는 사회 공헌의 일환으로 다문화 가정 교육 지원 사업을 실시하면서 자원봉사에 참여할 대학생 인턴도 모집했다. 인턴은 주말을 이용해 회사 직원과 함께 다문화 가정 교육 지원 사업을 준비하고 서울 근교의 다문화 가정에 방문해 아동

을 돌보고 교육하는 일을 한다. A사는 자원봉사를 하는 인턴에게 식사는 제공하지만 별도의 연수비나 보수 등은 지급하지 않는다. 대신 자원봉사를 실시한 인턴이 향후 회사의 신입사원 채용에 지원할 경우 가산점을 주기로 했다.

A사는 연수형 인턴과 자원봉사형 인턴을 활용하고 있다. 먼저 연수형 인턴을 보자. 첫 3주 동안은 순수한 의미의 연수라고 볼 수 있으므로 근로자가 아닌 교육생으로 본다고 해도 논란의 여지가 적다. 그러나 나머지 3주 동안은 인턴이 각 부서에 배치되어 어떠한 업무를 수행했는지에 따라 판단이 달라진다. 정해진 연수 프로그램에 따라 코치의 지도를 받아 각 부서에서 부여받은 과제를 수행하고 회사의 적절한 피드백이 이뤄진다면 근로자가 아닌 교육생으로 볼 수 있다. 그러나 연수형 인턴이 실질적으로는 각 부서에서 업무 관련 일을 담당하거나 현업 직원의 구체적 지시에 따라 업무를 보조하는 것이라면 연수가 아닌 근로를 제공한 것으로 인정돼 근로자로 판단될 것이다.

자원봉사형 인턴의 경우는 프로그램의 목적이 임금이 아닌 다문화 가정 교육 지원 사업을 위한 봉사였다는 점에서 원칙적으로 근로자로 보기는 어렵다. 다만 회사가 부여한 본래 업무 외에 다른 업무에 인턴을 활용하거나, 현업 직원은 자원봉사 업무에 관여하지 않으면서 인턴이 직원과 거의 유사한 수준의 업무를 수행한 경우라면 사용자의 책임이 발생할 가능성이 있다.

만일 A사의 인턴이 근로자로서 최저 임금도 받지 못했다며 고용노동부에 진정을 제기한다면 A사의 입장에서는 곤혹스러울 것이다. 그러나 인턴의 입장에서는 연수 또는 봉사를 위해 지원했는데 실제로는 회사 업무를 보조하는 데 그친다면 허탈할 수밖에 없다. 특히 인턴 경력이 스펙으로 중요하게 작용하는 분야에서는 울며 겨자 먹기로 아무런 대가 없이 법적인 근로를 제공해야 하는 경우가 많다. 인턴이 법적으로 근로자로 인정될 가능성이 낮다는 점과 인턴 당사자가 스스로 인턴직을 선택한 것이라는 점을 회사가 악용하는 것으로 볼 수도 있다.

일부 기업에서는 "무급 인턴이라도 하겠다는 대학생이 수십 명씩 밀려들어 오는데 이들에게 교육의 기회를 주는 것도 모자라 돈까지 줘야 하느냐"며 억울함을 표하기도 한다. 인턴에게 순수하게 교육만 시킬 것이냐고 반문하면 '일을 시키는 것도 교육'이라고 당당하게 말하는 인사 실무자도 있다. 그러나 이는 소수의 공급자와 다수의 수요자 사이에서 갑의 위치를 활용 혹은 남용하는 공급자의 일방적인 생각일 뿐이다.

CASE ; '알바 꺾기'를 하는 나쁜 사장님

A씨는 아르바이트로 치킨 가게에서 시급 6000원에 하루 8시간을 일하기로 계약했다. 그런데 치킨집 사장은 손님이 뜸한 시간에 A를 불러 "손님이 없으니 나가서 쉬라"고 말했다. 어떤 날엔 손님이 없다는 이유로 8시간을 채우지 않은 A를 퇴근시키기도 했다. 한 달이 지나 지급된 월급의 액수는 당초 예정된 액수보다 적었다. A가 항의하자 사장은 "쉬는 시간과 일찍 퇴근한 날 근무 시간을 채우지 못한 만큼의 시급을 뺐다"고 답했다. A는 "시킨 대로 한 것 아니냐"고 따져 물었으나 사장은 태도를 바꾸지 않았다.

'알바 꺾기'는 사용자가 임의로 아르바이트 직원을 근로계약에 정해진 시간보다 늦게 출근시키거나 일찍 퇴근시키고 그 시간만큼의 임금을 제외해 지급하는 현상에서 나온 말이다. 실제로 아르바이트 직원 1600여 명을 상대로 한 조사[16]에 따르면 응답자의 64퍼센트가 사전 협의 없이 알바 꺾기를 당했다는 결과가 나왔다.

알바 꺾기는 통상 자택 대기, 일시 귀휴 또는 근무 시간 도중 예정에 없는 휴식 시간을 부여하는 등의 형태로 이뤄지고 있다. 회사 입장에서는 아르바이트 직원에게 근무를 시키지 않는 것이기 때문에 그에 상응하는 임금(시급)을 지급하지 않아도 문제가 없다고 단순하게 생각할 수 있다. 그러나 자택 대기나 일시 귀휴 형태의 알바 꺾기는 사용자에게 귀책사유가 있는 '일시적 휴업'에 해당하는 것이므로 회사는 해당 아르바이트 직원에게 근로기준법 제46조에서 정하고 있는 휴업 수당을 지급해야 한다.

휴업은 사용자와 근로자 사이에 근로계약 관계는 존재하는 상태에서 사업의 전부 또는 일부를 사용자의 결정에 의해 정지하는 것을 말한다. 휴업은 근로자가 질병, 태만, 기타 스스로의 사정에 의해 근로 제공을 할 수 없거나 하려고 하지 않는 휴직·결근과 구별되고, 근로계약 관계가 존속한다는 점에서 해고·퇴직 등으로 인해 더 이상 근로할 수 없게 되는 경우와도 구별된다.

영업에 어려움을 겪는 회사가 고용 조정 정책의 일환으로 직원에게 출근하지 않고 집에 대기하도록 하거나 출근한 직원을 일시적으로 퇴근시켜 쉬도록 하는 경우가 일시적 휴업이다. 일시적 휴업의 종류는 첫째, 직원을 출근하지 않고 집에 머물도록 하는 자택 대기가 있다. 이는 근로자가 일하는 시기는 연기됐지만, 근로계약 자체는 유효하게 존속하는 개념이다. 자택 대기의 원인이 경제나 산업 전체의 불황과 같이 개별 기업의 내부 상황과 무관하게 발생한 것이라 하더라도 사용자는 기업의 경영자로서 이를 예견하고 대응해야 할 책임이 있고 경기 여하에 따라 다시 근로자를 근무시킬 수 있는 근로계약을 유지하고 있는 이상 사용자의 귀책사유에 의한 휴업으로 해석된다.

둘째, 출근했던 직원을 일시적으로 퇴근시켜 근무하지 않고 쉬도록 하는 일시 귀휴 역시 불황, 조업 단축 등을 이유로 인건비의 절감, 인력 재조정 등의 목적으로 근로자의 전부 또는 일부를 일정 기간 휴업하게 하는 것으로서 사용자의 귀책사유에 의한 휴업에 해당한다.

회사가 취업 규칙이나 근로계약에 "회사는 업무 사정에 따라서 일부 직원 및 일부 시간에 휴업할 수 있고 이 경우 지급하는 임금은 평균 임금의 1/2로 한다(또는 지급하지 않는다)"라는 조항을 넣은 사례도 있다. 그런데 이러한 휴업은 사용자의 귀책사유에 의한 휴업으로서 반드시 근로기준법 제46조에 따라 평균 임금의 70퍼센트에 해당하는 휴업 수당을 지급해야 하고, 그에 미치지 못하는 내용을 정한 취업 규칙이나 근로계약은 무효다.

최근 발표된 한 논문[17]은 아르바이트 근로자를 근로기준법이 적용되는 사업(장)의 근로자임은 분명하지만 근로 감독 행정 등의 실패 또는 방임으로 근로기준법을 제대로 적용받지 못하는 '비공식 고용'으로 분류했다. 제도상으로는 분명히 근로기준법이라는 범위 내에 있지만 사실상 법의 틀로 보호받지 못하는 고용이라는 것이다. 비공식 고용이라는 개념이 존재하는 것은 기업이 경쟁력을 강화해야 한다는 경제적 이성과 근로자의 노동권을 보호해야 한다는 법적 이성 사이에서 모호한 입장을 취하고 있는 노동법과 노동법학계의 현실 때문일지도 모른다.

6 손님은 정말 왕일까
; 진상 고객

우리나라에서 흔히 쓰는 '손님은 왕이다'라는 말은 사실 일본에서 유래한 것이다. 한국 기업이 일본 기업의 마케팅 및 서비스 제도를 수용하는 과정에서 대기업을 중심으로 친절 교육이 활성화됐다. 서비스업을 포함해 사람을 상대하는 업무에서 친절하지 못한 직원은 민원과 사과의 대상이 될 정도로 서비스에 대한 인식이 과거와 달라졌다.

그런데 서비스의 향상으로 친절하고 따뜻한 사회가 만들어졌을까? 결과는 정반대에 가깝다. 친절은 기업의 선택이 아닌 필수가 됐고, 기업은 직원에게 고객에 대한 친절을 강요한다. 고객을 상대하는 직원은 과도한 친절을 제공하며 스트레스를 받고, 고객은 더욱 극진한 대접을 요구하거나 직원의 친절 의무를 악용한다. 문제는 이에 그치지 않는다. 이른바 진상 고객은 손님이라는 이유만으로 자신을 상대하는 직원에게 폭언을 행사하고 협박, 폭행, 성희롱도 서슴지 않는다. 그럼에도 자신의 행위는 친절을 제공받는 고객으로서의 정당한 행위라고 주장한다.

진상 고객으로 인해 스트레스를 받고 괴로워하는 직원의 입장을 '고객은 왕'이라는 일률적 잣대로 무시해선 안 된다. 회사는 직원이 건강하고 쾌적한 상태에서 근무할 수 있는 여건을 마련해야 할 의무가 있다. 회사는 수용 가능한 범위를 초과하는, 법적으로 문제가 될 수 있는 진상 고객의 행위를 명확하게 인식하고 대응해야 한다.

진상 고객은 상대적 갑을노동의 대표적 유형이다. 수시로 서로의 재화와 서비스를 주고받는 현대 노동 시장에서 언제든 서비스 제공자와 진상 고객의 입장이 뒤바뀌어 상대방에게 갑질을 하게 될 수 있다.

진상은 범죄다

법적으로 문제가 될 수 있는 진상 고객의 행위는 크게 다섯 가지로 유형화할 수 있다.

(1) 폭언

형법 제260조는 "사람의 신체에 대해 폭행을 가한 자는 2년 이하의 징역, 500만 원 이하의 벌금, 구류 또는 과료에 처한다. 피해자의 명시한 의사에 반해 공소를 제기할 수 있다"고 규정하고 있다.

폭행이란 일반적으로 사람의 신체에 물리적 힘을 행사하는 것을 말한다. 고함을 질러서 사람을 놀라게 하거나, 야간에 지속적이고 반복적 소음을 내거나, 계속 전화를 거는 경우 또는 거짓 소식을 전해 충격을 받게 한 경우에 폭행죄가 성립할 수 있다는 견해도 있다. 단순한 욕설이나 폭언은 폭행에 해당하지 않지만 직원에게 물리적으로 근접해 고성으로 폭언이나 욕설을 수차례 반복하며 손발이나 물건을 휘두르거나 던지는 행위는 직원의 신체에 직접 접촉하지 않았더라도 형법상 폭행죄가 성립할 수 있다.

(2) 강제 추행과 성희롱

고객이 직원에게 성적 수치심이나 혐오감을 일으키는 행위를 하는 경우를 말한다. 형법 제298조는 "폭행 또는 협박으로 사람에 대해 추행한 자는 10년 이하의 징역 또는 1500만 원 이하의 벌금에 처한다"고 규정하고 있다.

추행이란 '객관적으로 성적 감정을 침해하고 성적 도덕관념에 반하는 행위로서 성적 수치감 내지 성적 도덕 감정을 침해하는 행위'를 의미한다. 가해자가 반드시 성욕의 흥분·자극 또는 만족을 목적으로 추행하지 않아도, 사람을 추행한다는 인식만 있었다면 고의성이 인정돼 처벌 대상이 된다.

(3) 공갈

고객이 직원에게 요구 사항을 들어주지 않으면 언론에 제보를 하겠다는 등의 엄포를 놓는 경우를 말한다. 형법 제350조는 공갈죄를 "사람을 공갈해 재물의 교부를 받거나 재산상의 이익을 취득한 자는 10년 이하의 징역 또는 2000만 원 이하의 벌금에 처한다. 같은 방법으로 제3자로 하여금 재물의 교부를 받게 하거나 재산상의 이익을 취득하게 한 때에도 형이 같다"고 규정하고 있다.

고객이 재물이나 재산상의 이익을 취득하기 위해 폭행과 협박으로 직원이 공포심을 느끼게 하는 행위도 형법상 공갈죄가 인정될 수 있다. 공갈죄에서 폭행은 상대방의 의사 형성에 영향을 미치는 심리적 폭력을, 협박은 사람의 의사 결정의 자유를 제한하거나 의사 실행의 자유를 방해할 정도로 겁을 먹게 할 만한 언행을 하는 것을 말하기 때문이다. 법원 판례 중에는 신체에 위해를 가할 것처럼 행동해 겁을 먹은 주점 종업원으로부터 주류를 제공받은 사람의 공갈죄를 인정한 판례도 있다.

(4) 업무 방해

고객이 자신의 요구를 관철시키기 위해 위계 또는 위력으로 직원의 업무를 방해하거나 방해할 수 있는 행위를 한 경우를 말한다. 형법 제314조 제1항은 업무 방해죄와 관련해 "제313조의 방법(허위 사실의 유포 및 기타 위계) 또는 위력으로써 사람의 업무를 방해한 자는 5년 이하의 징역 또는 1500만 원 이하의 벌금에 처한다"고 규정하고 있다.

업무 방해죄에서 말하는 위력이란 사람의 의사의 자유를 제압·혼란케 할 만한 세력을 의미하며 폭행·협박뿐 아니라 사회·경제·정치적 지위나 권력을 이용하는 것도 포함된다. 판례[18]는 업무를 하지 못하게 폭행·협박한 경우는 물론, 음식점에서 고함을 지르고 난동을 부리는 경우, 직장이나 사업장 시설을 무단 점거해 업무의 중단 또는 혼란을 준 경우 업무 방해죄가 성립한다고 판단했다.

(5) 모욕, 협박, 상해, 민사 책임 등

고객이 직원에게 침을 뱉거나 경멸의 뜻을 담은 말을 할 경우 형법상 모욕죄, 직원에게 공포심을 일으키게 할 만한 언행을 하는 경우 형법상 협박죄, 직원의 신체를 다치게 했을 경우 형법상 상해죄가 성립한다. 고객의 행동으로 인해 직원의 재산·정신적 피해가 발생했을 경우에는 형사적 차원뿐만 아니라 민사적 차원에서의 손해 배상 책임도 함께 발생한다.

진상 고객 대응법

진상 고객에게는 단계적 대응을 하는 것이 바람직하다. 첫째, 고객이 흥분한 상태에서 욕설과 폭언을 지속하고 현행법에 저촉되는 과격한 행동을 지속할 것으로 예상될 때는 해당 고객에게 그 사실을 분명히 고지하고, 문제가 되는 행위를 자제해 줄 것을 요청한다. 가급적 CCTV 촬영 구역 내에서 응대를 하다 고객의 행위가 적정 범위를 넘어서면 응대를 중단하고 자리를 피한다.

둘째, 고객의 폭력적 언행이 발생한 경우 폭행을 당한 직원은 추가적 폭행이나 쌍방 폭행이 발생하지 않도록 신속히 자리를 피한다. 동료 직원은 증거 확보를 위해 상황을 촬영하고 응대 과정에서 주고받은 고객 카드, 영수증 등을 확보한 뒤 보안 요원에게 연락한다. 심각한 상황일 때에는 경찰에 신고한다.

셋째, 폭행이 발생한 후부터는 피해 직원이 해당 고객에게 직접 대응하기 어렵다. 따라서 본사 차원에서 폭행을 당한 직원의 치료 및 진단서를 확보하고 관련 상황을 상세히 정리해 해당 고객에게 내용 증명 등 문서 형태로 알려 주는 등의 법적 대응을 할 수 있다.

넷째, 회사는 관련 대응 방법을 담은 매뉴얼을 작성해 정기적으로 교육하는 것이 필요하다. 매뉴얼에는 직원 설문조사 등을 통해 지금까지 발생한 사례를 다각도로 수집하고 그 사례를 유형별로 정리한 뒤 대표적 유형에 대한 법적 검토 및 그에 대한 회사 차원의 대응 방안을 담아야 한다. 또 고객의 위법 행위가 발생했을 때의 책임자와 의사 결정자를 명확히 명시해야만 직원의 자의적 대응을 막고 매뉴얼의 실효성이 높아진다. 자칫 직원의 자의적 판단에 따라 과잉 대응을 하는 문제가 발생하기 때문이다.

다섯째, 폭행이나 성희롱 등이 발생했을 때 후속 조치

가 중요하다. 신체·언어적 폭행으로 심신의 안정이 필요할 경우 유급 휴가 혹은 다른 조치를 취해 직원을 보호하고 치료를 위해 산재 또는 공상公傷 처리를 해줘야 한다. 성희롱의 경우 피해 직원과의 면담을 통해 근무 장소의 변경 등 고충 해소를 위해 노력해야 한다.

CASE ; 먹어도 힘이 나지 않는 홍삼

일주일 전 매장에서 홍삼 열 뿌리를 구매한 고객이 일곱 뿌리를 먹고 '힘이 나지 않으니 가짜 홍삼'이라고 주장하면서 남은 세 뿌리만 가져와 환불을 요구했다. 매장 직원이 환불이 어렵다고 응대했더니 고객은 매장 직원에게 "계속 그런 식으로 대하면 매장을 모조리 태워 버리겠다"며 "어차피 너 같은 말단 직원이랑 얘기해 봐야 답 안 나오니 점장이 나오라"고 수차례 협박과 욕설을 하고 바닥에 자신의 핸드폰을 던지는 등 난동을 피웠다.

회사는 고객 관리 차원에서 홍삼 세 뿌리를 받고 열 뿌리의 정상 가격을 환불해 주면서 원만하게 마무리하고자 노력했다. 그러나 이 고객은 환불 이후에도 계속 매장에 찾아와 자기가 던진 핸드폰을 배상할 것과 담당 직원의 사과를 요구하며 난동을 피워 골치가 아픈 상황이다.

회사 측에서 이미 환불 처리를 했음에도 불구하고 매장

직원에게 협박과 욕설을 하며 물건을 집어던지고 난동을 부리는 행위는 법적으로 문제가 될 소지가 있다. 형법상 공갈, 협박, 폭행, 업무 방해 등의 죄가 성립한다. 회사는 지나치게 고객에게 끌려가기보다 고객의 위법한 행위가 지속될 경우 단호하게 대응하는 것이 문제를 빠르게 해결하는 데 도움이 된다는 인식을 가져야 한다.

과거에는 고객의 요구라면 무엇이든 수용해야 했지만 최근 들어 감정 노동의 폐해가 부각되며 고객을 상대하는 직원의 인권과 정신 건강의 중요성이 강조되고 있다. 회사 및 직원이 고객을 상대로 친절을 제공할 의무는 있지만 고객이 회사의 직원에게 친절을 강요할 권리는 없기 때문이다. 회사와 직원이 수용해야 할 범위를 초과하거나, 때로는 위법한 행위마저 고객에 대한 친절이라는 이유로 무조건 수용하고 정당화해서는 안 된다.

회사는 합리적 범위 내에서 직원이 고객에게 응대해야 할 서비스(친절)의 기준을 마련하되, 그 기준을 심각하게 넘어서는 진상 고객의 행위에는 엄격히 대응해야 한다. 진상 고객에게 제대로 대응하기 위해서는 회사 및 직원이 적절한 순간에 '고객 만족'에서 '위기관리'로 태도를 전환해야 한다. 고객 만족만을 의식한 나머지 악성 불만을 제기하는 일부 진상 고객을 일반 고객과 동일한 기준으로 대하기 쉽다. 그러한 대응 방식으로는 문제 해결의 실마리를 찾기 어렵다.

시장 경쟁이 심화되며 감정 노동의 강도도 높아지고 있다. 누군가에게 을이었던 사람이 다른 사람에게 갑이 되는 상황도 빈번하게 일어난다. 갑에게 감정 노동을 해야 했던 을이 소비자로서 갑질에 동참하는 악순환을 반복하는 것이다. 이와 같은 악순환의 고리를 끊어야 한다. 친절의 과잉이 가져오는 폐해를 인식하고 직원의 고충을 고려한 인사 관리가 필요하다.

7

담배 피우면 잘립니다
; 강제 금연 정책

우리나라에 담배가 들어온 것은 임진왜란 직후인 16세기 말에서 17세기 초로 알려져 있다. 한때는 윗사람에 대한 선물이나 수고비 명목으로도 담배가 통용되었다. 공공시설이나 대중교통에서도 흡연이 가능했고 심지어 의대 교수가 환자를 회진하면서 담배를 피우기도 했다.

그러나 20세기 초부터 흡연으로 인한 사망과 질병의 위험성이 부각되며 금연 운동이 확산됐다. 한국에서는 1976년 세계보건기구의 요청으로 담뱃갑에 "건강을 위하여 지나친 흡연을 삼갑시다"라는 경고문이 붙기 시작했다. 1988년엔 한국금연운동협의회가 창립되며 금연 정책에 대한 논의가 촉발됐다. 2003년 7월에는 국민건강증진법 시행 규칙이 개정돼 병원·어린이집·학교가 흡연실을 설치할 수 없는 금연 시설로 지정됐다. 2013년 7월부터 시행된 국민건강증진법(실내 금연법) 제9조 "공중이 이용하는 시설의 전체를 금연 구역으로 정해야 한다"는 규정에 따라 대부분의 빌딩이 금연 정책을 시행한다.

최근에는 직원을 대상으로 금연 정책을 실시하는 기업도 많다. 과거에는 사업장의 안전을 위해 위험 시설물 내 흡연을 금지하는 규정을 두는 정도가 일반적이었지만, 최근에는 직원의 건강과 사업장의 쾌적한 환경을 위해 금연을 강조한다. 국내 기업의 금연 관련 인사 관리 정책은 흡연을 했을 때 일정한 인사상 불이익(제재)을 가하는 강제형과 금연에 성공

했을 때 보상하는 포상형으로 구분된다.

그런데 강제형 금연 정책에 관해 회사가 흡연을 이유로 직원에게 인사상 불이익을 주는 것이 법적으로 정당한 것인가를 둘러싼 논란이 있다. 특히 흡연을 이유로 가한 인사상 불이익 조치의 법적 정당성을 다룬 노동 위원회의 결정이나 판례가 없어 기업이 금연 정책 위반을 이유로 근로자를 징계 처분하는 것에 대한 찬반 논란이 있다.

CASE ; 강제로 작성한 금연 서약서

A사는 2013년 1월 1일 자로 금연 관련 특별 규정을 제정해 사내 금연 정책을 실시했다. A사는 대강당에서 전 직원 금연 서약식을 개최해 모든 근로자가 참석한 가운데 금연 서약서를 작성하고 서명 날인하도록 했다. 금연 서약서에는 "본인은 회사의 금연 정책에 적극 동참하며, 금연 정책 위반 시 발생할 수 있는 인사상 제반 불이익을 모두 감수할 것에 동의합니다"라고 기재됐다. 그러나 일부 흡연자의 불만은 극에 달했다. A사의 노동조합 위원장이자 흡연자인 을은 회사의 금연 정책이 근로자가 흡연할 수 있는 행동의 자유를 침해하고 해당 정책과 서약의 강요가 인권을 침해한다며 국가인권위원회에 진정을 제기했다.

그런데 을은 회사 건물의 옥상에서 금연 정책에 대한

대응 방안을 생각하다가 무심코 담배를 피웠다. 을의 흡연 사실을 전해 들은 A사 인사 팀장은 '회사의 규정을 위반한 자는 징계할 수 있다'라는 취업 규칙 규정과 을이 서명 날인한 금연 서약서에 근거해 을을 인사 위원회에 회부한 뒤 감봉 3개월의 징계에 처했다.

근로자의 상벌 등에 관한 인사권은 사용자의 고유 권한으로 관련 징계권 역시 기업 운영 또는 근로계약상 사용자에게 인정되는 권한이다. 따라서 사용자는 징계 규정의 내용이 강행 법규나 단체 협약의 내용에 반하지 않는 한 구체적 내용을 자유롭게 정할 수 있으며 기업 질서의 확립과 유지에 필요하고 합리적이라면 근로기준법 등 관계 법령이 허용하는 범위 내에서 위반 행위에 대한 규율이 가능하다.

근로기준법 제23조 제1항은 "사용자는 근로자에게 정당한 이유 없이 해고, 휴직, 정직, 전직, 감봉, 그 밖의 징벌(이하 '부당 해고 등'이라 한다)을 하지 못한다"고 규정해 근로관계가 종료되는 해고뿐 아니라 근로자에 대한 다른 징계 역시 반드시 정당한 이유가 필요하다고 명시하고 있다. 따라서 근로자에 대한 사용자의 징계 처분이 적법한 것으로 인정받기 위해서는 징계 사유가 취업 규칙 등 문서로 규정돼야 하고 관련 내용이 강행 법규, 선량한 풍속, 사회 질서 등에 반하면 안 된다. 또 규정이 적법하더라도 구체적 전후 사정에 비추어 볼 때 징계의 수준이 과도하면 안 된다.

A사의 처분이 적합한지 여부를 따지기 위해서는 먼저 A사가 을을 징계 처분한 근거가 되는 '금연 정책에 관한 특별 규정'과 금연 서약서의 효력에 대한 검토가 필요하다. 금연 정책에 관한 특별 규정은 취업 규칙의 일종이라는 점에서 근로기준법 제94조를 준수해 작성해야 한다. 금연 서약서의 작성과 서명 날인은 서약서를 받는 방식에 관한 법원 판례의 입장을 확인해야 한다.

취업 규칙이란 근로자에 대한 근로 조건과 복무규율에 관한 기준을 설정하기 위해 사용자가 일방적으로 작성한 준칙이다. A사가 2013년 1월 1일 자로 제정한 금연 정책에 관한 특별 규정은 근로자의 복무 기준을 설정한 규율로서 취업 규칙에 해당한다.

법원 판례[19]는 사용자가 기존의 취업 규칙 규정을 근로자에 불리하게 개정하는 방식뿐 아니라 불리한 조항을 신설하는 것도 취업 규칙의 '불이익 변경'에 해당한다고 본다. 근로기준법 제94조는 사용자가 취업 규칙의 불이익 변경으로 기존의 근로 조건을 근로자에게 불리하게 변경하기 위해서는 집단적 동의가 필요하다고 규정하고 있다. 집단적 동의는 취업 규칙 불이익 변경의 효력 요건이므로 집단적 동의를 받지 못한 취업 규칙의 불이익 변경은 효력이 없다. 그리고 A사가 근로자가 금연 정책 위반 시 인사상 불이익 조치를 가할 수 있음을 내용으로 하는 금연 정책에 관한 특별 규정을 제정한 것은 집단적 동의 절차가 생략된 취업 규칙의 불이익 변경에 해당한다.

취업 규칙의 불이익 변경을 위해서는 어떠한 방식이든 근로자의 찬반 의견 교환이 이루어지는 회합의 과정이 필요하다. 근로자와 회합하는 절차를 밟지 않는 경우에는 이사회의 결의나 근로자 대표의 동의 또는 근로자의 개별적 동의가 있다고 하더라도 효력이 부정된다. 근로자 상호 간에 의견 교환의 과정 없이 단순히 각서, 동의서 등 문서를 회람하거나, 회람하는 문서에 일괄 서명하는 방식은 취업 규칙 불이익 변경에 대한 근로자 대표의 동의로 인정되지 않는다.

A사가 모든 근로자가 참석한 가운데 금연 서약서를 작성하고 서명 날인하도록 한 것은 회의 방식을 거쳐 동의를 취한 과정으로 볼 여지도 있다. 그러나 취업 규칙의 불이익 변경 시 필요한 근로자 대표와의 동의 방식에 대한 여러 판례의 일반적 입장을 봤을 때 A사의 금연 정책 실시에 관한 근로자의 금연 서약서 작성은 찬반 의견을 확인하는 회합의 절차로 보기 어렵다. 따라서 취업 규칙의 불이익 변경에 대한 근로자 대표의 동의도 인정되기 어렵고, 을에 대한 징계 처분의 근거가 되는 A사의 금연 정책에 관한 특별 규정의 효력은 법원에서 부정될 가능성이 높다.

을에 대한 징계의 정당성도 문제가 될 수 있다. 근로자의 징계 처분 사유가 취업 규칙에 존재한다고 하더라도 해당 징계 처분이 적법하게 이뤄지기 위해서는 그 징계 사유가 정당성을 갖춰야 한다.

징계 사유의 정당성 여부를 판단하는 기준이 되는 근로기준법 제23조의 '정당한 이유'의 구체적 내용과 관련한 판례[20]에 따르면, 근로자에 대한 징계 처분이 정당하기 위해서는 징계 사유에 해당하는 근로자의 비위 행위가 '사회 통념상 근로계약을 존속시킬 수 없을 정도로 근로자에게 책임 있는 사유'에 해당돼야 하며, 사회 통념상 근로계약을 존속할 수 없을 정도인지 여부는 해당 사용자의 사업 목적과 성격, 사업장의 여건, 해당 근로자의 지위 및 담당 직무의 내용, 비위 행위의 동기와 경위, 이로 인해 기업의 위계질서가 무너질 위험성 등 기업에 미칠 영향, 과거의 근무 태도 등 여러 사정을 종합적으로 검토해야 한다. 근로계약이나 취업 규칙 또는 단체 협약 등의 징계 규정이 법에 위배되거나 신의 성실의 원칙에 반한다거나 권리 남용에 해당하는 것이면 그 규정에 근거한 징계는 정당성이 없다. 징계 사유는 개별 회사의 징계 규정 외에도 강행 법규나 선량한 풍속, 사회 질서에 반해서도 안 된다.

A사가 을에게 제시한 징계 사유는 회사의 금연 정책을 위반한 사내 흡연이다. 을이 회사의 금연 정책을 위반해 흡

연을 한 행위는 A사의 입장에서는 회사의 복무규율과 질서를 위반한 행위라고 주장할 수 있지만 을의 입장에서는 업무와 직접 관련이 없는 사생활의 영역이라는 주장이 가능하다.

사생활의 비위 행위에 대한 징계 처분에 관해 판례[21]는 "사용자는 사업 활동을 원활하게 수행함에 필요한 범위 내에서 규율과 질서를 유지하기 위해 근로자에 대해 징계권을 행사할 수 있고, 근로자의 사생활 비행이 사업 활동에 직접 관련이 있거나 기업의 사회적 평가를 훼손할 염려가 있다면 그러한 경우에 한해 근로자를 징계할 수 있다"고 설명한다. 여기서 '기업의 사회적 평가를 훼손할 염려'라는 것은 반드시 업무의 질을 떨어뜨리거나 거래상의 불이익이 발생해야 하는 것은 아니다. 근로자의 행위와 기업의 목적과 경영 방침, 사업의 종류와 규모, 해당 근로자의 기업 내 지위와 담당 업무 등 여러 사정을 종합적으로 고려해 기업의 사회적 평가에 미친 악영향이 상당히 중대하다는 평가가 가능한 수준이어야 한다.

을의 사내 흡연이 A사의 금연 정책에 관한 특별 규정을 위반한 사실은 인정되지만 흡연 자체가 근로 제공과 직접적 관련이 없을 뿐 아니라 A사의 사회적 평가에 중대한 침해를 가한다고 보기 어렵다는 점에서 흡연 행위로 근로자를 징계할 수 있다는 A사의 관련 규정이 근로기준법 제23조 소정의 '정당한 이유'로 객관적 정당성을 갖는다고 보기는 어렵다.

회사가 근로자를 징계하기 위해서는 관련 절차에 따라 징계 위원회를 개최해야 한다. 위원회는 인사 부서에서 작성한 심의안과 관련 자료를 토대로 비위 행위 근로자에게 사실을 확인하고 소명의 기회를 줘 비위 행위의 배경과 목적, 비위 행위 이후의 근로자의 태도 변화 등을 종합적으로 파악해 적정한 징계의 수준(징계 양정)을 결정한다.

징계는 비례와 형평의 원칙에 따라 이뤄져야 하며 취업 규칙 등의 규정에 양정 기준이 마련되어 있다면 반드시 그 기준에 따라 결정해야 한다. 노동 위원회와 법원에서는 사용자의 사업 목적과 성격, 사업장의 여건, 해당 근로자의 지위 및 담당 직무의 내용, 비위 행위의 동기와 경위, 이로 인해 기업 내 질서에 미칠 영향, 과거의 근무 태도 등 여러 사정을 종합적으로 고려해 징계의 적정성을 판단한다.

비례와 형평의 원칙[22]에 비추어 보았을 때 단 1회의 사내 흡연 사실 적발로 감봉 3개월의 징계에 처하는 것은 적절하지 않다. 특히 비례의 원칙 측면에서 보면 감봉 외에도 경고, 견책 등의 징계를 내릴 수 있음에도 불구하고 생계에 직접적으로 영향을 미치는 감봉 3개월의 징계 처분을 내리는 것은 징계권을 남용한 것으로 판단된다.

근로자의 사내 흡연과 관련한 판례는 엇갈린다. 법원은 상시 화약류를 취급하는 공장의 근로자가 폭발 위험성이 가장 높은 곳에서 불과 1미터 떨어진 금연 구역에서 흡연하여 해고한 것은 정당하다고 판시[23]한 바 있다. 반면 15년의 근속 기간 동안 특별한 과오 없이 비행기 승무원으로 근무했던 근로자가 비행 중 몇 차례 기내 흡연했다는 이유만으로 해고한 것은 회사가 재량권을 일탈·남용했다고 판시[24]하기도 했다.

금연 정책과 근로자의 인권

A사와 을의 사례는 흡연이라는 근로자의 행동의 자유를 제한하는 인권의 문제와 연계해 생각해 볼 수 있다. 금연 정책에 관해 어떤 인사 관리 방식을 취할지는 기업이 자율적으로 선택할 문제지만 근로계약상 근로의 제공과 직접 관련이 없는 근로자의 흡연을 제한하는 것 자체가 인권 침해의 소지가 있기 때문이다. 흡연 여부를 확인하기 위해 직원의 소변 또는 혈액 검사 등을 정기적으로 실시하는 것이 직원의 인권을 침해할 소지가 있다는 논란이 제기된 것 역시 마찬가지다.

군대에서 금연 부대를 운영하면서 소속 장병에게 일률적으로 금연을 강요하는 것은 인권 침해라고 보고 흡연으로 징계 처분을 받은 병사를 원대 복귀시킬 것을 권고한 국가인권위원회의 판단[25]도 참고할 만하다. 인권위원회의 판단에 대해 군은 전 부대 금연 조치는 국민건강증진법을 근거로 한 금연 교육과 홍보 등을 통해 장병들이 스스로 동참한 결과이며,

금연 지시를 위반한 장병에 대한 징계는 국가공무원법 및 군인 복무규율에 따른 적법한 것이라 해명했다. 하지만 국가인권위원회는 장병의 흡연 여부는 '헌법상 자기 결정권 및 사생활의 자유에서 파생되는 기본적 권리'이므로 군이 장병들에게 예외 없이 강제적으로 금연 서약서를 작성시켰을 뿐 아니라 생활관과 무기고 등 금연이 필요한 장소가 아닌 부대 전 지역을 금연 구역으로 지정한 것은 법적 근거가 없는 과도한 조치라고 판정했다.

흡연의 유해성과 중독성은 이미 많은 조사를 통해 검증이 됐고 흡연으로 인한 국민의 건강에 대한 국가(기업)의 국민(근로자) 보호 의무를 고려한다면 금연 정책의 정당성도 인정할 수 있다. 하지만 금연 정책을 어떤 방식으로 시행할 것인지에 대한 신중한 접근이 필요하다. 흡연 역시 개인의 행동의 자유에서 파생되는 헌법상 기본권으로서 담배의 유해성과 중독성이 예상된다는 이유만으로 쉽게 금지하거나 제한할 수 없기 때문이다. 기업이 인사상 불이익이 따르는 강제 금연 정책을 내세워 흡연을 금지하는 것은 인권 침해의 소지가 있다. 다만 사업의 성격상 정당한 사유가 있다면 근로자 채용 및 고용 유지에 금연이라는 조건을 내걸 수 있을 것이다. 금연 프로그램 결과에 따른 보상 또는 제재에 근로자의 자발적 동의가 있었는지도 면밀하게 따져 볼 필요가 있다. 포상형 금연 정책과 같이 근로자의 자발적 의사와 동의를 기초로 한 금연 정책을 취하고 근로자의 건강을 위한 다양한 프로그램을 운영하는 것은 법률적 문제가 발생할 염려가 거의 없다는 점에서 바람직한 금연 정책 모델이라고 할 수 있다.

8 네가 한 일을 알고 있다 ; 노동 감시

정보 통신 기기가 회사의 경영 및 업무에 활용되는 비중이 높아지면서 이메일, CCTV, GPS 등 직장 내 디지털 정보 활용의 문제가 늘어나고 있다. 현행법상 정보 통신 기기의 설치와 활용에 관한 규제가 없는 것은 아니지만, 직장에서 사용자가 정보 통신 기기를 통해 근로자의 디지털 정보를 수집해 회사 경영 및 업무에 활용하는 경우에 대한 법적 규율은 아직 구체적이지 않다. 이에 대한 허용 여부와 범위를 객관적으로 설정하는 일은 쉽지 않으며 많은 부분을 법적 해석에 의존할 수밖에 없다.

정보 통신 기기를 통해 얻은 정보의 활용이 근로자 권리를 어느 정도 침해할 수 있는지 구체적으로 고민해야 한다. 직장 내 디지털 정보 활용이 정당한 목적과 법의 절차를 갖추지 않은 채 노동 감시의 수준으로 전락한다면 근로자의 인권과 정신 건강을 침해할 수 있다는 점을 인식해야 한다. 침해되는 법익은 근로자의 인격권 및 사생활 등과 관련된 일신 전속적 권리[26]이기 때문이다.

노동 감시의 문제점

"하루 종일 책상 앞에 앉아 컴퓨터를 보고 있는 이 과장. 과연 무엇을 하고 있는 것일까요? 이제 ○○○ 원격 제어 솔루션이 기업의 고민을 해결해 드립니다. ○○○ 원격 제어는 관리하고자 하는 상대방의 컴퓨터를 내 컴퓨터 다루듯 제어·관리

할 수 있습니다. 이메일 모니터링, 컴퓨터 화면 수집, 인터넷 접속 정보 수집, 파일 전송 정보 수집 등 원하는 항목을 모두 관리할 수 있습니다."

이는 한 원격 제어 솔루션 광고의 문안이다. 이 광고를 보고 기업은 생산성 향상 및 재산권 보호의 수단으로 원격 제어 시스템을 활용할 수 있다고 생각할 것이다. 하지만 근로자는 누군가에 의해 자신의 일거수일투족이 감시된다는 생각에 불안할 것이다. 이메일은 이제 보편적 커뮤니케이션 도구 중 하나다. 특히 회사에서는 대부분의 업무가 이메일을 통해 이뤄지고 있다. 회사의 기밀 정보나 영업 비밀은 헌법 제23조의 보호 대상이 되는 재산권(기본권)으로서 근로자가 이메일을 통해 회사의 기밀 정보나 영업 비밀을 외부에 유출하는 행위는 사용자의 재산권을 침해하는 것이다. 많은 회사가 이메일 모니터링 시스템을 도입한 것도 이 때문이다.

사업장 내부에 CCTV를 설치·운영하는 것 역시 일반화됐다. 사업장에서 발생할 수 있는 범죄의 예방 및 수사, 시설 안전 및 화재 예방 등이 CCTV 설치의 주목적이다. 그러나 외부인이 아닌 근로자를 CCTV로 모니터링하는 것이 법률적으로 어떤 문제가 될 수 있는지 정확하게 알고 있는 회사는 많지 않다.

GPS를 통해 근로자의 위치 정보를 수집하고, 수집된 정보를 관련 업무 및 인사·노무 관리 목적을 위해 활용하는 사례도 늘어나고 있다. 특히 외근 근로자가 많은 회사에서는 근태 관리, 유류비 절감, 회사 물품의 도난 방지, 고객 서비스 향상 등 다양한 목적에서 GPS를 통해 근로자의 위치 정보를 수집한다. 회사가 작업 과정에서 근로자의 행동을 일정하게 통제할 권리가 있다는 점에서 근로자의 위치 정보 수집의 필요성이 존재하는 것은 사실이다. 그런데 경영상·업무상 필요성만 강조될 뿐 법률적 검토나 합리적 관리 방안에 대한 고민은 소홀한 회사가 대부분이다.

사생활의 자유와 통신 비밀의 보호는 헌법 제17조와 제18조에서 보장하는 기본권에 해당한다. 따라서 회사가 취득한 정보의 남용 또는 미숙한 관리는 노동 감시라는 측면에서 근로자 개인의 사생활의 자유와 통신 비밀의 보호에 대한 법익을 침해하는 행위가 된다. 이와 같이 정보 통신 기기에 의한 직장 내 디지털 정보 활용은 사용자의 재산권 보호와 근로자 개인의 사생활의 자유 및 통신 비밀의 보호라는 법익이 서로 충돌하는 사안에 해당한다. 어느 쪽이 우위에 있는지는 쉽게 단정할 수 없다. 또한 법률적 측면과 함께 근로자의 인권 및 정신 건강 침해의 문제도 고려해야 한다.

관리가 아니라 감시다

근로자와 관련한 디지털 정보 활용의 쟁점은 다섯 가지로 분류할 수 있다. 첫째, 직장 내 디지털 정보 활용을 관리가 아닌 감시의 의미로 받아들이는 사회적 인식이다. 회사는 재산 보호, 업무 효율 향상, 효율적 인력 관리 등의 목적에서 정보 통신 기기의 활용이 당연히 필요하다는 입장이다. 하지만 2013년 국가인권위원회가 발표한 보고서[27]에 따르면, 근로자의 85.1퍼센트가 회사의 정보 통신 기기가 근로자를 감시할 목적으로 활용된다고 생각하는 것으로 나타났다.

둘째, 회사에 대한 근로자의 불신과 스트레스를 유발할 수 있다는 문제점이 있다. 정보 통신 기기에 의한 회사의 근로자 개인 정보 또는 위치 정보의 수집이 주는 부정적 인식을 구체적으로 조사해 본 결과, 사생활 침해(64퍼센트), 노동 통제 강화(53.7퍼센트), 노사 간 불신 증대(39.9퍼센트), 인사상 불이익 발생(36퍼센트), 동료 간 경쟁 심화(34퍼센트), 작업량 증가(31.4퍼센트) 순으로 나타났다. 또한 종류 구분 없이 모든 정보 통신 기기가 근로자의 스트레스와 불안감을 증대시키는 데 영향을 주고 있는 것으로 파악됐다.[28]

셋째, 근로자 개인의 사생활이 침해되는 문제점이 있다. 회사가 비록 업무상 필요를 위해 근로자의 위치 정보를 수집한다고 하더라도 수집 및 활용 과정에서 근로자 개인의 사생활이 침해될 가능성이 매우 높다. 많은 근로자가 다양한 형태의 정보 통신 기기 중 'GPS를 통한 위치 추적'을 가장 심각한 사생활 침해로 생각한다는 조사 결과도 있다.[29] 어떤 근로자라도 자신의 일거수일투족이 누군가에 의해 감시를 당하고 있다면 이유를 불문하고 불쾌할 것이다. 또한 기본적 자유마저 통제당한다는 불안감은 일하기 어려운 분위기를 조성할 것이다.

넷째, 정보 통신 기기의 업무 활용은 근로자의 육체적·심리적 스트레스를 증가시키고 근로자의 건강을 위협할 수 있다. 실제로 근로자의 58.6퍼센트가 퇴근 이후에도 근무한 경험이 있으며, 67퍼센트는 휴대 전화나 이메일을 통해 휴일·퇴근 이후에도 업무 지시를 받은 경험이 있는 것으로 파악됐다.[30] 스마트 미디어의 보급이 전체 근로자에게 근로 시간 연장 등의 부정적 영향을 미치고 있는 것이다. 이를 '상시적 노동력 제공'이란 말로 완곡하게 표현하기도 하지만, 부정적인 시각에서는 '상시적 노동력 착취' 또는 '현대판 최첨단 노예'라는 표현까지 나오고 있다.

다섯째, 정보 통신 기기가 특정 근로자 및 노동조합을 감시하는 데 활용될 수 있다. 한 대형 마트가 노동조합 설립을 막기 위해 CCTV 녹화, 음성 녹음, 비디오카메라, 사진기, 무전기 등을 통해 근로자를 감시한 것으로 밝혀진 것[31]이 예다.

9 직장 스트레스와 자살
; 심리적 부검

2016년 기준 한국의 자살률은 10만 명당 25.6명으로 경제 협력 개발 기구OECD 평균 12.1명보다 두 배 이상 높다. OECD 회원국 34개국 중 가장 높은 수치다. 자살 관련 법률이 제정되는 등 국가적 차원의 예방에 나서고 있지만 효과는 미미하다.

현대 사회에서 인간관계의 대부분이 자신이 근로를 제공하는 시간과 장소를 중심으로 맺어지고 있다는 점에서 직장에서의 삶과 자살률은 밀접한 관련이 있다. 노동은 기본적으로 의식주를 해결하기 위해서 필요하지만 개인의 자아를 실현하는 동시에 사회적 관계를 맺는 과정이기도 하다.

2013년 12월 국내 최초로 심리적 부검psychological autopsy에 의한 감정 결과를 증거로 채택해 근로자의 자살이 업무(공무)상 재해에 해당한다고 판단한 사례가 있다. 서울 고등법원이 "근로자가 중증 우울증으로 정신적 억제 능력이 현저히 떨어진 상태에서 업무상 스트레스를 받고 자살이라는 극단적인 선택을 한 것으로 보인다"며 "업무(공무)와 망인의 우울 장애 발병 및 사망 사이에 인과 관계가 있다"라는 판결을 내린 것이다.[32] 이 판결은 심리적 부검이라는 새로운 감정 방식을 통해 근로자의 자살 문제에 접근함과 동시에 업무상 과로 및 스트레스, 우울증 등 근로자의 정신 건강 문제를 법의 영역으로 끌어들였다는 점에서 의미가 있다.

왜 죽었는가

심리적 부검이란 자살로 사망한 사람과 관련해 수집된 포괄적 정보를 분석해 자살의 원인을 과학적으로 규명하는 방법이다. 특히 죽음의 방식과 형태는 명확하지만 이유를 확실하게 알 수 없을 때 활용된다. 심리적 부검의 목표는 자살 사망자의 의지가 무엇이었는지를 밝히는 것이다. 죽은 사람이 실제로 죽음을 원했던 것이라면 자살, 죽음이 예기치 않게 발생한 것이라면 사고로 결론 내는 것이다.

심리적 부검은 정신과 의사나 임상 심리사 등의 전문가가 부모, 배우자, 자녀, 연인, 직장 동료, 담당 의사 등 자살 사망자를 잘 알고 있는 주변 인물을 대상으로 체계적 면담과 질문 조사를 실시하는 방식으로 진행된다. 자살 사망자가 남긴 각종 기록, 경찰의 사건 수사 기록, 의료 기관의 의무 기록, 검시관의 진술을 수집해 자살의 원인을 밝히는 과정을 거친다. 자살 사망자가 남겨 놓은 일기장, 유서, 사진, 이메일, 인터넷 사이트 접속 이력, 포털 사이트의 키워드 검색 이력, SNS 관련 사항 등 자료나 흔적 및 주변 사람과의 인터뷰 등 활용 가능한 모든 자료를 수집한다.

심리적 부검을 통해서 첫째, 사망자가 왜 자살을 택했는지 파악할 수 있다. 사망의 종류[33]가 각종 증거물에 의해 명백하게 드러난 경우 심리적 부검을 통해 자살 과정에서 이뤄진 행위의 구체적 이유를 설명하고 무엇이 행위의 원인이 됐는지를 밝힌다. 또 사망자의 생존 시 인생관, 심리적 변화, 동기, 실존적 위험의 유무 등을 밝힐 수 있다. 둘째, 사망자가 자살을 택하게 된 이유는 무엇인지 사회·심리적 이유를 설명할 수 있다. 셋째, 사망 원인은 확실하나 종류가 확실하지 않을 때 심리적 부검이 문제를 해결할 수 있다.

CASE ; **뒤집힌 판결, 사회적 타살**

○○지방 국세청에서 근무하던 세무 공무원인 김 모 씨는 2009년 어느 날 새벽, 본인이 거주하는 아파트에서 스스로 뛰어내려 사망했다. 김 씨의 바지 주머니에서 발견된 유서에는 "△△엄마 미안하오! 일은 계속 떨어지는데 직원은 보내주지 않고, 팀장은 욕만 먹고. 한직에서 고생하는 직원을 우대해 줘야 합니다. 내가 죽는 이유는 사무실의 업무 과다로 인한 스트레스 때문이란 것을 확실히 밝혀 둡니다"라고 적혀 있었다. 김 씨의 부인은 공무원연금공단에게 유족 보상금의 지급을 신청했으나 거부됐다. 김 씨의 부인은 다시 김 씨의 유서와 우울증 감정 기록 등을 근거로 서울 행정법원에 공무원연금공단의 처분을 취소하고 유족 보상금을 지급해 줄 것을 청구하는 소송을 제기했다.

원심은 "업무 과다가 우울증의 발병 계기는 될 수 있어도 자살의 직접적 원인이라고 볼 수 없으며, 김 씨의 유서 내용은 김 씨 스스로 생각하는 자살의 원인일 뿐 의학적으로 인정될 수 없다"며 유족 보상금 청구를 기각했다. 그러나 항소심은 "망인의 사망은 구 공무원연금법 제61조 제1항의 '공무원이 공무상 질병으로 사망한 경우'에 해당하므로 피고(공무원연금공단)는 그 유족인 원고(김 씨의 부인)에게 유족 보상금을 지급해야 하고, 망인의 사망이 위 경우에 해당하지 않는다는 이유로 유족 보상금의 지급을 거부한 이 사건 처분은 위법해 취소돼야 한다"고 판시해 원심의 판단을 뒤집었다.

법원행정처는 항소심에서 자살·우울증 전문가인 민성호 연세대 교수를 감정인으로 추천했다. 민 교수는 김 씨의 유족 네 명과 직장 동료 세 명 등 일곱 명을 열 시간 동안 면담하는 방식으로 심리적 부검을 실시했다. 그 결과 김 씨가 직장에서 "일은 많은데 직원이 없어 너무 힘들다. 죽고 싶다"라는 말을 수시로 했던 점, 자살 직전 부하 직원에게 "몸이 힘들어 병원에 입원해야 할 것 같다"고 전화했다가 결국 부인에게 "일이 많아 출근해야 할 것 같다"고 했던 점, 자살 직전 34인치였던 허리둘레가 31인치로 줄 정도로 식욕을 잃었다는 등의 사실이 밝혀졌다. 감정인은 "김 씨가 개인적·경제적 이유 없이 순수하게 업무상 스트레스로 인한 우울증 때문에 자살했다"고 서울 고등법원에서 진술했다.

이 판결은 국내에서 처음으로 심리적 부검이라는 감정 방법을 활용해 업무상 스트레스와 우울 장애 등에 따른 근로자의 자살을 업무상 재해로 인정했다는 점에서 의미가 있다. 신체적 부상이 아닌 우울증, 과로사, 자살 등이 업무상 재해로 인정받기 어려웠던 점을 극복할 수 있는 새로운 법률적 판단 도구로 심리적 부검을 채택한 사례다.

김 씨는 사망 당시 매우 심한 우울 장애 상태에 있었다. 주요 우울 장애의 발병 원인은 크게 유전적 요인, 신경 생물학적 요인, 심리 사회적 요인으로 분류할 수 있다. 유전적 요인으로는 직계 가족 중에 정신병 증상, 공황 장애, 불안 장애, 알코올 의존성 장애 등을 겪은 사람이 있을 경우를 말하는데, 김 씨에게는 유전적 요인이 발견되지 않았다. 신경 생물학적 요인으로는 세로토닌, 노르에피네프린, 도파민 등의 신경 전달 물질이나 스트레스와 관련된 시상하부, 뇌하수체, 부신피질 축의 활성화 등이 있다. 그러나 김 씨는 부검을 하지 않아 신경 생물학적 요인의 유무를 확인할 수 없었다.

김 씨는 심리 사회적 요인에 의해 주요 우울 장애가 발병했다고 볼 수 있다. 김 씨는 평소 책임감이 강해 다른 사람에게 피해를 주지 않고 힘든 일을 도맡으면서 업무에 있어 완벽을 추구해 상사를 포함한 모두에게 인정을 받아 왔다. 그러나 불합리한 조직 개편, 업무의 과중, 승진의 좌절 등을 직장과 조직으로부터의 거부로 받아들이게 됐고 이는 자기애의 손상을 가져와 우울 장애가 발병한 것이다. 즉 자신의 처지에 대한 절망감과 우울 장애의 발현으로 야기된 문제 해결 능력의 저하 때문에 자살을 선택한 것으로 보는 것이 타당하다.

심리적 부검은 전문가를 통한 포괄적이면서도 심층적 자료 수집 과정을 거친다는 점에서 주위 사람의 법정 증언보다 상대적으로 왜곡이 적고 풍부한 자료를 법관에게 제공할 수 있는 장점이 있다. 해당 분야의 전문가인 감정인의 최종 의견도 중요하지만 심리적 부검의 중요성은 사실상 감정인이 법관을 대신해 자살자가 남긴 생전의 기록 확인과 주위 사람의 인터뷰를 심층 수행하는 과정에 있다. 입증 책임을 따지는 피상적 논쟁을 이어 가기보다는 소송 과정에서 보다 많은 판단 자료를 법관에게 제공하는 것이 중요하다는 점에서 심리적 부검을 재판의 관행으로 정착시켜야 한다.

우리나라에서 발생하는 자살은 사회 구성원이 감싸 안고 보듬지 못해 극단적 길을 택한 사례가 많다는 점에서 모두에게 책임이 있는 '사회적 타살'인 경우가 많다. 인격의 침해는 업무 명령이라는 명목으로 쉽게 발생할 수 있기 때문에 근로자 개인의 노력만으로 이를 피할 수 없다. 근로자가 회사에서 느끼는 업무상 스트레스, 괴로움을 단지 근로자 개인의 성향과 책임의 몫으로만 돌리던 과거의 관습은 사라져야 한다.

직장은 공동의 목적을 달성하기 위해 협력하는 곳이다. 개인의 심리 변화로 인한 자살에 조직적 메커니즘이 작용했다면, 그 메커니즘을 정확하게 파악하는 것이 중요하다.

노동법에 '인권'이라는 단어가 없다?

우리 사회는 인권이라는 가치에 매우 민감하게 반응하면서도 정작 법이 인권 침해에 직접적으로 대응하지는 않고 있다. 법에 인권 관련 조항이 있어도 실질적 적용은 미약한 수준이기 때문이다. 법이 인권을 보장한다는 명제는 보편적이지만, 개인의 영역에 적용되는 과정에서 인권 보장을 위한 실질적 기능이 상실됐다. 이는 노동법 역시 다르지 않다.

헌법의 기본권에서 노동 문제를 규율하는 핵심 조항은 근로의 권리를 규정한 헌법 제32조와 노동 3권을 규정한 헌법 제33조다. 학계에서는 헌법의 두 가지 규정을 '노동 기본권'이라고 부른다. 그런데 실제 법 적용 과정에서 다뤄지는 비중은 노동 3권을 규정한 헌법 제33조가 절대적으로 크다.

다만 노동 3권을 중심으로 해석되고 있는 노동 기본권 체계에도 한계가 있다. 포괄적 노사 관계에서는 노동조합 및 노동관계 조정법(노동조합법)이 규율하지 못하는 노동 3권의 침해 행위가 발생했을 때 노동 3권을 해석의 기준으로 삼아 법적 규율 방안을 모색할 수 있다. 그러나 개별적 근로관계에서는 근로기준법이 규율하지 못하는 새로운 현상이 나타날 경우 이를 통제할 수 있는 기준이 되는 노동 기본권이 분명치 않다. 계약상의 근로 조건과는 무관하게 발생하는 근로자의 인권 침해 현상에서 더욱 그렇다.

헌법 제10조는 "모든 국민은 인간으로서 존엄과 가치를 가지며, 행복을 추구할 권리를 가진다. 국가는 개인이 가지는 불가침의 기본적 인권을 확인하고 이를 보장할 의무를 진다"고 규정한다. 헌법 제10조는 국가에게 개인이 가지는 불가침의 기본적 인권을 확인하고 보장할 의무를 부여하면서 '기본적 인권'이라는 표현을 쓰고 있다. 헌법 제32조 제3항에서도 "근로 조건의 기준은 인간의 존엄성을 보장하도록 법률로 정한다"고 규정해 이를 확인하고 있다.

노동은 인간의 존엄이라는 가치에 부합하고, 개인의 자율과 자기 발달의 자유를 충족해야 한다. 노동법이 궁극적으로 추구해야 할 목적이 근로자의 인권 보장에 있는 이유다. 그러나 현재 노동법의 근간이라고 할 수 있는 근로기준법과 노동조합법의 규정을 살펴보면 인권이나 노동 기본권이라는 명제는 언급되지 않는다. 근로기준법 제1조는 "헌법에 따라 근로 조건의 기준을 정함으로써 근로자의 기본적 생활을 보장, 향상시키며 균형 있는 국민 경제의 발전을 꾀하는 것을 목적으로 한다"고 돼 있다. 노동조합법 제1조는 "헌법에 의한 근로자의 단결권·단체교섭권 및 단체행동권을 보장해 근로 조건의 유지·개선과 근로자의 경제적·사회적 지위의 향상을 도모하고, 노동관계를 공정하게 조정해 노동 쟁의를 예방·해결함으로써 산업 평화의 유지와 국민 경제의 발전에 이바지함을 목적으로 한다"고 규정하고 있다. 근로기준법과 노동조합법의 목적은 근로 조건, 근로자의 사회·경제적 지위, 국민 경제 등과 같은 물질적 차원에 한정돼 있다. 그리고 노동 기본권은 주로 헌법에서 규정하고 있는 노동 3권과 집단적 노사 관계의 문제에 집중돼 있다.

노동법은 근로자의 열악한 근로 조건을 극복하고, 실질적 평등과 생존권을 확보하기 위한 법 원리로부터 출발했다. 노동법의 목적은 근로자가 생존을 확보함으로써 완전한 인간적 존재로서 생활하도록 하는 노동 인격의 완성을 위한 것이다. 그러나 요즘은 예전과 같은 절대적 빈곤이나 의식주 차원의 생존권과 관련한 문제를 겪는 사람이 과거에 비해 줄었다. 근로 조건, 근로자의 사회·경제적 지위, 국민 경제는 노동법이 태동할 당시와는 비교할 수 없을 만큼 성장했다. 근로자의 관심사는 물질적 빈곤이나 생존권의 위협에서 정신적 만족과 행복으로 옮겨 가고 있다.

직장 내 괴롭힘과 무례함, 직장 내 성희롱, 열정 페이, 진상 고객, 스트레스와 자살 등의 문제는 분명 근로자의 인권을 심각하게 침해하는 것임에도 불구하고 당장 노동법적으로 규율할 수 있는 방법이 거의 없다. 이는 노동법이 노동의 현실에 제공해야 할 일정한 의무를 제대로 수행하고 있지 못한 '노동법의 공백 현상'이라고 봐야 한다.

법 규범에는 흠이 있을 수 있고, 정의의 기준을 충족하지 못할 수 있다. 다만 빈틈이 발생했을 때 그 공백을 메워 줄 해석이 필요하다. 현재 노동법, 특히 개별적 근로관계를 규율하는 근로기준법에는 근로자의 기본적 인권을 침해하는 새로운 현상들을 규율하는 내용이 부족하다. 아직도 노동법이 제정 당시 근로 조건의 향상을 통한 생존권 확보에 중점을 두고 있기 때문이다.

우리의 노동법을 원점부터 다시 살펴봐야 할 시점이다. 노동 3권과 집단적 노사 관계 질서 위주로만 접근했던 노동 기본권의 내용을 개별적 근로관계의 영역으로 확대해 보다 적극적으로 그 의미와 내용을 새길 필요가 있다. 근로자의 인권과 노동 기본권에 대한 원칙 규범을 법 규범 내에 일반 규정의 형태로 마련해 인권과 노동 기본권을 침해하는 다양한 현상에 대한 통제 기능을 확보해야 한다.

노동의 권리를 규정한 세계 인권 선언 제23조는 일할 권리, 직업 선택의 자유, 실업으로부터 보호받을 권리, 동일 노동에 동일 임금을 받을 권리, 근로자와 가족의 인간 존엄에 부합하는 생존 보장권, 노동조합에 가입할 권리 등의 노동권을 상세히 규정하고 있다. 그중에서도 '인간 존엄에 부합하는 생존 보장권'에 주목할 필요가 있다. 인권 선언에서 말하는 생존을 보장한다는 명제는 단순히 먹고사는 문제에 국한된 문제가 아니라는 점을 인식해야 한다. 생존 보장의 핵심적 가치는 인간 존엄을 지키기 위한 것이고 노동 기본권의 본질 역시 궁극적으로는 인간 존엄의 보장에 있어야 한다.

개별적 근로관계에서 근로자의 인권을 노동 기본권으로 인식하고 강화해 나가는 과정에서 갑을노동의 개념과 관련 현상에 대한 법적 대안이 구체적으로 마련될 수 있다고 본다. 이를 위해서는 갑을노동의 개념, 현상에 대한 구체적인 실승뿐 아니라 어떻게 그 문제를 노동 기본권의 차원으로 인식할 것인지를 고민해야 한다. 그리고 새로운 노동 현실에 대한 노동 기본권의 적용 범위를 확장하면서 갑을노동의 문제를 해결할 단서를 찾아야 한다. 궁극적으로는 근로자의 노동 기본권 침해에 대한 사용자의 의무를 구체적으로 설정함과 동시에 근로자의 노동 기본권 보장에 대한 근로자 집단의 참여와 관여가 가능토록 하는 제도를 정비해 현실적인 노동법 체계를 만들어 가야 한다.

에필로그　노동의 정상과 화해를 희망하며

직장인에게 노동 현장의 하루하루는 전쟁터와 다름없다. 사회에 만연한 갑을노동의 현상과 문제점은 그동안은 수면 위로 잘 드러나지 않았다. 직장이 행복하다고 말하는 직장인은 거의 없다. 그들의 불행을 책임지겠다는 사람도 없다. 우리는 그동안 서로를 할퀴고 비난하며 나의 불행만을 외쳐 왔을 뿐, 직장 동료가 나로 인해 혹시 어떤 불편과 어려움을 겪고 있는지는 관심이 없었다. 갑을노동의 문제는 바로 이 지점에서 시작된다.

최근의 '미투Me too' 운동은 한국 사회의 노동 현장에서 갑질을 참아 왔던 을의 사회적 고발의 일환이다. 그동안 어두운 장막에 가려져 있었던 문제가 표면으로 드러난 것은 다행이지만, 정치, 경제, 역사, 사회적 배경 등과 복잡하게 얽혀 있는 노동 문제의 해결은 쉽지 않아 보인다.

갑을노동은 법이나 계약의 형식, 조직의 위계 서열에서 발생하는 문제로 끝나지 않는다. 갑을노동에서 을을 지배하며 괴롭히려는 갑의 행태는 소수의 사회 계층에 국한되는 문제가 아니다. 갑을노동의 문제는 특정 가해자와 피해자의 문제가 아닌, 사회 구성원 전체의 모습이다. 우리는 갑을노동이라는 사슬 속에서 갑과 을의 위치를 오가며 서로를 힘들게 하고 있다. 이러한 갑을노동의 사슬을 끊지 못한다면 일을 통해 행복을 얻는다는 희망은 실현 불가능할 것이다. 사회 조직적으로는 수직적 관계가 형성될 수 있지만, 인격적으로 모든 사람은 평등하다. 갑을노동의 문제를 해결하기 위해 선행돼야 할 것은 '갑을노동은 우리 모두의 문제라는 사실'을 인식하는 것이다.

이 책은 노동 시장에서 갑을 관계를 둘러싸고 발생하는 문제를 법 이론과 실무의 관점에서 정리했다. 그러나 여기서 논의한 문제들은 갑을노동 현상의 일부에 불과하다. 아직 갑을노동으로 개념화되지 않은 잠재된 억압과 횡포, 근로자의 인권을 침해하는 다양한 현상을 규율할 수 있는 방안을 마련해야 한다. 갑을노동의 문제를 개인적 차원에서 풀어 가는 것에는 한계가 있다. 제도적 차원에서 불합리한 형식과 내용을 통제해야 한다. 갑을노동에서 을의 위치에 있는 사람이 갑으로부터 소외받지 않고 적극적으로 일할 수 있는 여건을 조성해야 한다. 이를 위해서는 갑을노동의 유형과 관련해 보다 구체적 사례와 법적 대안을 적극적으로 발굴하고 논의할 필요가 있다.

많은 이들이 갑을노동의 문제를 이해하고, 함께 일하는 직장 동료들의 입장을 다시 한번 생각해 보았으면 한다. 서로에 대한 이해와 관심을 통해 하루빨리 노동의 정상正常과 화해가 이루어질 수 있기를 희망한다.

주

1 _ 미국의 정신 분석 의사 허버트 프뤼덴버거(Herbert Freudenberger)가 처음 사용한 심리학 용어로 어떠한 일에 몰두하다가 신체적·정신적 스트레스가 계속 쌓여 무기력증이나 심한 불안감과 자기혐오, 분노, 의욕 상실 등에 빠지는 증상을 말한다. 탈진 증후군, 소진(消盡) 증후군이라고도 부른다.

2 _ 여기서 말하는 근로자의 파산은 비판 이론 1세대 아도르노(Theodor. W. Adorno)의 개인 파산(die Liquidation des Individuums) 테제를 배경으로 한다. 아도르노는 모든 것이 자본주의적으로 통합되는 사회에서 개인 파산이 초래되고, 개인이 죽어 버린 사회는 곧 사회의 죽음을 의미하는 것이라고 주장한다. 이때 개인 파산은 단순히 경제적 차원의 파산이 아니라, 개인의 주체적이고 자율적인 개별성 자체의 파산을 의미한다.

3 _ 서울 고등법원 2007. 5. 3. 선고 2006나109669 판결

4 _ 이인영 의원 등 17인, 2016. 6. 17. 발의, 의안 번호 2000318

5 _ 이영기·권병규, 〈연방 대법원, 직장 상사 괴롭힘에 대한 고용주 책임 제한〉, 《국제법률신문》, 2013. 6. 25.

6 _ 厚生労働省, 《職場のいしめ · 嫌からせ問題に関する円卓会議ワーキンク · 報告》, 2012. 1. 30.

7 _ 나이토 시노, 〈일본의 직장 내 괴롭힘〉, 《국제노동브리프》, 한국노동연구원, 2014. 9.

8 _ Lauren Weber, 〈What Do Workers Want from the Boss?〉, 《The Wall Street Journal》, 2015. 4. 2.

9 _ 각 사물 및 그 현상에 근원적으로 내재된 고유의 특성으로 인해 발현되는 다소의 문제나 불편 등은 필연적인 것이고 제거가 현저히 곤란하거나 사실상 불가능하며 그 정도가 통념상 참아 낼 수 있는 한도 내라면 받아들여야 한다는 법적 개념이다.

10 _ 정건희, 〈악덕 상사는 정신·육체까지 좀먹는다〉, 《국민일보》, 2014. 10. 22.

11 _ 대법원 2007. 6. 14. 선고 2005두6461 판결. 초등학교 교감이 '여자 교사들에 대하여 교장에게 술을 따라 줄 것을 두 차례 권한 언행'은 여자 교사들로 하여금 성적 굴욕감 또는 혐오감을 느끼게 하는 성적 언동에 해당하지 않는다고 판결한 사례다.

12 _ 서울 중앙지방법원 2002. 10. 26. 선고 2000가합57462 판결

13 _ 대법원 2009. 2. 26. 선고 2008다89712 판결

14 _ 이 기준은 대법원 1994. 12. 9. 선고 94다22859 판결에서 처음으로 제시됐고, 대법원 2006. 12. 7. 선고, 2004다29736 판결에서 약간의 변화를 거쳐 현재 계속 유지되고 있다.

15 _ 대법원 2006. 12. 7. 선고 2004다29736 판결

16 _ 윤나라, 〈[취재파일] 이런 '알바' 계약, 불법입니다〉, SBS, 2015. 12. 5.

17 _ 강성태, 〈비공식 고용과 노동법〉, 《노동법연구(제36호)》, 서울대학교 노동법연구회, 2014.

18 _ 대법원 1961. 2. 24. 선고 4293형상864 판결, 대법원 2007. 12. 28. 선고 2007도5204 판결

19 _ 인사 규정에 부득이한 사유가 없는 결근 7일을 초과한 경우를 자연 면직 사유로 하는 조항을 신설하는 경우(대법원 1989. 5. 9. 선고 88다카4277 판결)나 취업 규칙에 정년 규정이 없던 회사에서 55세 정년 규정을 신설하는 경우(대법원 1997. 5. 16. 선고 96다2507 판결)도 취업 규칙의 불이익 변경에 해당한다고 판시하고 있다.

20 _ 대법원 2004. 5. 14. 선고 2003두11858 판결, 대법원 2006. 2. 24. 선고 2005두11630 판결, 대법원 2006. 4. 27. 선고 2004두12766 판결

21 _ 대법원 1994. 12. 13. 선고 93누23275 판결

22 _ 비례의 원칙은 비위 행위에 따른 기업 질서의 훼손 또는 사용자의 손실의 정도와

징계의 내용이 균형을 이루는 것, 형평의 원칙은 다른 근로자의 유사한 비위 행위에 행한 징계 처분과 당해 근로자에 대해 행한 징계 처분이 균형을 이루는 것을 의미한다.

23 _ 대법원 1991. 8. 27. 선고 91다20418 판결

24 _ 서울 행정법원 2004. 12. 30. 선고 2004구합25229 판결

25 _ 하헌형, 〈'금연 부대', 강제 금연 조치는 인권 침해〉, 《한국경제신문》, 2012. 3. 29.

26 _ 법률에서 특정한 자에게만 귀속하며 타인에게는 양도되지 않는 속성을 말한다. 특정한 주체만이 향유할 수 있는 권리다.

27 _ 국가인권위원회, 《정보통신기기에 의한 노동인권 침해 실태조사》, 2013.

28 _ 국가인권위원회, 《정보통신기기에 의한 노동인권 침해 실태조사》, 2013.

29 _ 국가인권위원회, 《정보통신기기에 의한 노동인권 침해 실태조사》, 2013.

30 _ 국가인권위원회, 《정보통신기기에 의한 노동인권 침해 실태조사》, 2013.

31 _ 정진우, 〈이마트 직원 한 명당 매일 30분씩 사찰〉, 《머니투데이》, 2013. 3. 21.

32 _ 서울 고등법원 2013. 12. 19. 선고 2012누27505 판결

33 _ 법적으로 '어떻게 죽었는가?'를 설명하는 개념이다. 크게 내인사(內因死)와 외인사(外因死)로 구분한다. 노환, 질병 등 외부의 물리적 요인이 없는 내적 요인으로 사망한 것이 내인사이며 자살·타살·사고사는 외인사에 해당한다. 내인사인지 외인사인지 판단하기 어려울 경우 불상(不詳)으로 분류한다.

북저널리즘 인사이드 올바른 노동

이 책에 나온 사례가 익숙하다면 당신은 한국의 노동자가 맞다. 하지만 실제로 비슷한 상황에 처했을 때, 대부분의 직장인은 어떻게 대응해야 할지 몰라 참고 넘어가거나 무엇이 문제인지 아예 인식조차 하지 못한다. 어쩌면 우리는 '일을 해야만 한다'는 생각에 사로잡혀 우리가 추구해야 할 노동의 가치를 놓치고 있는지도 모른다. 불합리한 노동 행태를 그저 관습으로 치부하고 넘어가는 태도의 원인도 여기에 있다.

개별 갑을노동의 사건에서는 가해자와 피해자를 분명하게 구별할 수 있다. 그러나 한 발짝 뒤로 물러나 보면 가해자와 피해자의 경계선이 흐려지는 경우도 있다. 왜곡된 노동문화에 매몰돼 '학습된 악습'을 답습하는 사람을 악으로 규정해 처벌하는 것만이 문제를 해결하는 최선의 방법은 아니다. 갑을 관계가 구조화된 한국 노동 시장의 '갑질'의 주체는 어쩌면 사람이 아니라 노동 문화 자체일 수 있기 때문이다.

세 명의 공동 저자도 강력한 규율의 신설을 갑을노동 문제의 최우선 해결책으로 제시하지는 않는다. 사용자와 근로자 모두가 노동은 사람이 하는 일임을 되새기고 인권 보장이 노동이 추구해야 할 가치임을 인지할 필요가 있다고 강조한다. 이들이 노동을 규율하는 제도인 노동법에 인권의 가치를 불어넣는 방법을 고민하는 이유다.

저자들은 불합리한 갑을 관계를 아홉 가지 형태로 분

류하고 이를 갑을노동으로 개념화했다. 노동법을 연구하며 현장에서 다룬 실제 사례를 통해 갑을노동의 문제점을 지적하고 해결 방안을 제시한다. 두루뭉술한 담론을 내놓는 것이 아니라 무엇이 문제이고, 어떻게 고쳐 나가야 하는지 날카롭게 지적해 사용자와 노동자 모두의 참고서를 제시하고 있다.

괴롭힘, 상사의 성희롱, 열정 페이, 노동 감시. 하루가 멀다 하고 불거지는 갑을노동 문제는 더 이상 뉴스거리가 아니다. 그리고 아직 불거지지 않은 새로운 형태의 갑을노동도 이미 노동 시장에서 나타나고 있을 것이다. 우리는 행복하게 살기 위해 선택한 노동으로 고통을 받는 시대에 살고 있다. 이제 '올바른 노동'을 말해야 한다. 우리가 원하는 노동은 무엇인지, 노동을 통해 완성하고 싶은 가치가 무엇인지 고민하고 실행해야 한다.

서재준 에디터